ウイグル、モンゴル、香港、尖閣

中国の暴虐《ジェノサイド》

櫻井よしこ
楊逸
楊海英

WAC

はじめに

櫻井よしこ

本書を出版するために私たち、楊海英氏、楊逸氏と私の三人は長い時間をともに過ごし語り合った。

私たちは会う度にお互いを少しずつ、前よりも知り、共感を深めていった。三人は各々、まったく異なる環境で育った。

楊海英《ようかいえい》さんは東京オリンピックの行われた一九六四年に南モンゴルのオルドス高原で生まれた。父親はモンゴル軍の騎馬兵だった。父とその友人たちは子ども時代の楊さんにいつも「日本人のように正直に、公平に、規律正しく生きなければならない」と諭したという。高校生のとき、日本の影響下にあったモンゴル自治邦の元役人から日本語を学び始めた。そのときの家族の喜びはいまでも忘れられないそうだ。北京第二外国語学院大学で日本語学科を卒業し、一九八九年春に来日、二〇〇〇年に日本国籍を取得した。現在静岡大学で人文社会科学部の教授を務める。モンゴル人が体験した迫害を一万五千ページに上る「モンゴル人ジェノサイドに関する基礎資料」にまとめ上げたが、楊海英さんの文化人類学的フィールドワークは他の追随を許さない。モンゴル人の家族一人一人を訪ね歩き、その家族が受けた迫害を祖父母、両親、自分、子供、孫の幾世代にもわたって全て実名で記録した。モンゴル人の体験は、現在ウイグル人が体験していることと変わらない。中国共産党による民族浄化、ジェノサイドの苦しみである。一連の研究に対して、私の主宰するシンクタンク「国家基本問題研究所」は二〇一六年、楊海英氏に「日本研究賞」を贈った。

楊逸《ヤンイー》さんはハルビンで生まれた。一九六六年に始まり七六年まで続いた文化大革命の暗黒の時代に育った世代だ。一家は七〇年一月に農村に下放され三年半を過ごした。幼い時代の体験から、楊逸さんは後に「汚い罵倒語を声高々と敵に浴びせるように批判しないと、子どもといえども思想問題になってしまう」と書いた。だが、そんな灰色の日々の中、中学生の頃、日本に住む親戚が送ってきたカラーの家族写真を見た。当時中国には一般にカラー写真はなかった。楊逸さんのいとこたちが着ていた洋服は色とりどりでとてもお洒落で、一家が幸せそうだったので大変衝撃をうけた。また日本の町々の佇まいは美しく、緑深く、瑞々しい。その中で、現代的な建築物が自己主張していたりする。古い街並みの中に、現代日本が息づいている。一連の写真から日本に興味を抱いた楊逸さんは一九八七年に来日した。さまざまなアルバイトをしながら日本語学校に通った。八九年の天安門事件勃発のとき、二十五歳の楊逸さんは居ても立ってもいられず、天安門に駆けつけた。そのとき学生たちの表情は希望に満ちていた。楊逸さんは学生たちに応援の言葉をかけながら、自分の中に思いがけずもこみ上げてくる感情の波の激しさに驚いた。文革時代の暗黒の体験の記憶、澱《おり》のように溜まっていた感情が溢れ出たのである。そして数日後、学生たちの希望は荒々しく粉砕され、悲劇へと変わった。この天安門事件を、楊逸さんは十九年後、『時が滲む朝』(文春文庫)に著した。学生たちの苦悩と挫折の日々を描いた同作品は芥川賞を受賞した。いまは小説を書き続けながら、日本大学芸術学部で創作を教えている。

私は日本が敗戦した一九四五年に、ベトナムハノイの野戦病院で生まれた。誕生前後の状況は、日本が凄まじい敗戦を体験し、史上初めて占領されるという大悲劇に満ちていた。その後の私は、しかし、現行憲法に象徴される他力本願の平和な日本で育った。

そんな私にとってお二人の体験やお二人が骨身にまで叩き込まれた中国共産党や漢民族

の考え方などについて聞くことは、胸に迫るものだった。知っているつもりで知らないことが多かった。対話の中で楊海英さんが言ったことが心に残る。

「たとえ中国共産党が倒れて、支配されている民族が独立しようとも、それは決して明るい未来を約束するものではないのです。モンゴル国、ウイグル国、チベット国などという国を打ち立てたとしても、その国で我々の考える民主的な政治を行えばどうなるか。すぐに多数派となった漢民族の思い通りの政治が行われるのです。その中でむしろ我々異民族は今よりもっと酷い形で弾圧され虐殺されかねない」

いまさらではあるが、私は雷に打たれたような気がした。そうなのだ。状況はそこまでいっているのだ。こうした事実はすでに明らかなのに、私を含めて日本人の多くは想像が及ばない。そして無邪気に言うのだ。中国共産党の独裁体制が崩れて、チベットやモンゴル、ウイグルの人々が独立するのがよいと。

楊海英さんは、独立しても悲劇が待っていると明言する。すでに遅いのだ。遅すぎるのだ。そのことを私たちは深く心に刻まなければならない。

中国は、そして中国に支配されている異民族の人々はこれからどういう道を辿るのか、見えてこない部分が多い。だが日本と日本人への警告だけは明らかになった。あらゆる意味で漢民族の支配を受け入れてはならない、と。私たちは日本人として国土をきっちり守り、漢民族の度を越した日本への移住を警戒心をもって節度ある範囲に保ち続けなければならない。そうすることで日本人は漢人の人々ともよい形で交流を続けることができる。

共産党一党支配の中国で、一人一人が具体的にどのように生きているのか。本書を通じてその実態を少しでもわかっていただければ幸いである。お二人にはたくさんのことを教えていただいた。深く感謝し、お二人のこれからの活躍を心から願うものである。読者の皆様も二人の楊さんの体験を共有してくだされば、とても嬉しく思う。

令和三年五月十一日

ウイグル、モンゴル、香港、尖閣…

中国の暴虐

◉目次

第一章　中国の横暴を許さない！　15

コラム　南モンゴルのジェノサイド、チベット問題、文化大革命の悲劇、天安門事件

第二章

「世界一」にしがみつく中国の虚妄

異民族を「同化させる」習近平の無知

「満族の血には、親しみを感じます」

現地のことは現地にまかせた満洲人皇帝

ウイグル人は中国核実験の犠牲者か

なぜイスラム諸国はウイグルを支援しないのか

「中華民族」という民族は存在しない

「自治区」という呼称に騙されるな

早稲田大学は中国人留学生に乗っ取られる

中国政府の手先「孔子学院」の実態解明を

第三章

日本国内で暗躍する中国工作員

世界はいま中国支配か否かの岐路にある
科学を手にした「倫理なき中国」の恐さ
中国批判をした途端、日中双方で嫌がらせが
キャンセルされた出版契約
国会議員にも平気で圧力をかける
スパイ天国日本で中国はやりたい放題
東京は中国工作員の〝縄張り〟
民主化運動家たちも考えるのは「漢民族だけ」
「日中友好」は中国を利するだけ
「中国なしではやっていけない」という幻想
中国とのデカップリングをどう図るか
「日本は旧宗主国として責任を果たせ！」
先回りして中国の魂胆を見抜く

第四章 習近平が崇める『毛沢東語録』の歪んだ世界観

装幀／須川貴弘（ＷＡＣ装幀室）

写真／木村圭司
編集協力／未来工房

第一章 中国の横暴を許さない

現在進行形の新疆ウイグル「ジェノサイド」

櫻井　中国は世界で最も罪深い〝悪徳国家〟のひとつです。二十一世紀のいま、どこから見ても許されざる異民族の弾圧や虐殺を続けています。チベット人にもモンゴル人にも、おぞましい弾圧を加えてきました。いま、とりわけ国際社会の非難が集中しているのが、ウイグル人への弾圧です。中国共産党政権は、新疆ウイグル自治区で百万人以上のウイグル人を厳しい監視下に置き、思想や信教の自由を奪い、母語のウイグル語を禁止しています。個々の民族に特有の言語や文化までも奪おうとしているのです。多くの男性が「教育センター」という名の強制収容所に送り込まれ、何カ月も何年も帰ってきません。留守を守る女性たちは、中国兵たちに連れ去られ、集団レイプを受けています。男女を問わず避妊手術を強制され、民族が〝根絶やし〟にされようとしています。

トランプ政権時代、こうした状況を憂慮したマイク・ポンペオ前国務長官が、中国共産党政権のウイグル人弾圧は「ジェノサイド」(民族抹殺)だと断定しました。バイデン政権の国務長官アントニー・ブリンケン氏もポンペオ氏同様、中国共産党のウイグル人弾圧をジェノサイドだと認定しました。アメリカを筆頭に先進七カ国の日本を除く国々、それに欧州共同体（ＥＵ）が一斉に、中国当局者たちを対象に、域内の資産凍結や渡航禁止などを含む制裁措置を発表しました。

中国は国際社会で孤立しています。発展途上の貧しい国々や、民主主義的制度のない専制独裁的な国々が、中国のマネー外交にからめ取られることはあるかもしれませんが、まともな先進国の中で、中国を応援する国は、およそなくなってしまいました。

楊海英　ウイグルだけでなく、チベットもモンゴルも、まったく同じ構造のジェノサイドが行われてきました。民族を根絶やしにすることを目的に人命を奪い、その民族特有の言語や文化を奪うだけでなく、大規模で組織的な性暴力を伴うことが多いのです。

ウイグルの人たちと話をする機会があったので現状を聞いたら、私の学生の一人、モンゴル人で新疆で先生をしている彼が報告してくれました。中国政府はなるべくモンゴル人や漢人を新疆に派遣して、学校の先生や公務員として採用している。ウイグル人には職を与えないようにしているんです。しかも、ほとんどのウイグル人家庭に漢人すなわち中国人を住まわせるようにしている。ひどい話です。

櫻井　漢人は見張り役をしているのですね。

楊海英　見張り役どころか、思想の抹殺者ですね。あまりにもたちが悪い。イスラム教徒は豚肉が食べられないのに、わざと豚肉を食卓に出して、食べないと、「おまえはテロリストだ」と糾弾するそうです。イスラムの教義を無視して、平然と信仰を侮辱するんです。

また、男は強制収容所に送られているので、イスラム教徒の家庭には女性しかいません。そこに入り込んだ漢人＝中国人の男が、あたかも主人のように振る舞っている。「性的搾取」です。その間に子どもが生まれると、「民族団結の象徴だ」なんて平然と言い放つ。そんな形の性的犯罪がはびこっています。しかも、個人ではなく組織的に展開しているのですから、より悪質です。異教徒の個人がウイグル人の家に入り込んで、子どもまでもうけるなんて、簡単にできることではない。政府が組織的に主導しているのです。

女子どもの家庭に漢人が入り込む

櫻井　政府というのは、もちろん中国共産党ですね。悪魔のような勢力だと思います。以前、南モンゴルも同じようなひどい目にあったと、楊海英さんが著書で実例をたくさん、紹介しています。

楊海英　文化大革命の最中に、南モンゴルでも、人民解放軍が女性に対する組織的な性犯罪を行った。こんなことが起きるのは、人民解放軍と地元の幹部が結託しているからです。チベットも同じです。一九五九年にチベット人の国土に人民解放軍が侵攻し、同地を占領しました。以来、数多くの男性が犠牲になり、女性は次々と陵辱されていきました……。

このことは、中国政府が発行した地方誌のデータでもきちんと証明されています。高校の先生でチベット現代史などの書籍を執筆している阿部治平さんという方がいます。チベット滞在歴の長い方です。その阿部先生が、それを基に中国の人口政策を解析したところ、奇妙な点が見つかりました。中国から亡命したアメリカの女性研究者も同じ研究をしていますが、五九年から六四年まで、チベットの人口はまったく増えてないのです。それどころか、男性の人口が三十数万人も一挙に減っている。男性は五九年のチベット騒乱で〝粛清〟され、女性と子どもしか残らなかったのです。青海省《せいかい》、甘粛省《かんしゆく》でも同様です。

つまりチベットでは五〇～六〇年代に、いま新疆ウイグル自治区で起きているのと同じことが起きたのです。男性は強制収容所送り、残った女子どもの家庭に漢人が入り込んで主人のような顔で居座る。漢人のやり方は、一向に変わっていません。

櫻井　加えて、ウイグル人の男性、女性に異常な数の不妊手術が施されています。この点は亡命したウイグル人医師の証言で明らかになっています。ウイグルの人口を減らすのを目的に、途轍もない数の〝断種〟が行われている。残った女性は漢民族の男と結婚させて、「民族団結」の美名のもとに、ウイグルの人たちの血を薄めていこうとする。

楊海英　南モンゴルで「文化大革命」が展開されたときも、中国人兵士がモンゴル人女性を大々的に凌辱したのです。漢人はモンゴル女性を裸にさせて蹂躙するだけでなく、「反革命」とみなした「内モンゴル人民革命党員」の男性に、〝みんなが見ている前〟で性交するよう命じたこともあったそうです。

女性の陵辱は、「敵」の男性に対する侮辱の象徴であり、自分たちの力の誇示にもなります。公の場での強制性交は、人間の尊厳を奪い取り、人格を根源的に崩壊し尽くします。モンゴル人は二度と漢人に抵抗できないほど、心理的に打ち砕かれてしまう。

日本も「北京五輪ボイコット」の声をあげよ

櫻井　ポンペオ前国務長官は、「中国政府の所業はオリンピック精神にもとる」として、二〇二二年の冬季オリンピックの開催地変更を国際オリンピック委員会（ＩＯＣ）に提案すべきだと語りました。アメリカ上院の共和党議員も、同様の決議案を提出しています。

しかし、中国の王毅外相は、アメリカやEUの動きに猛烈に反発しています。「証言はまったくの嘘、役者が証言するように仕組まれた」「人権が侵害されてない根拠として、人口が増えている」などと語っています。

楊海英　ウイグル人弾圧のすさまじさは、まさに世界的問題になっています。それなのに日本の反応は鈍い。「中国を敵に回したくない」「うまく付き合っていきたい」という思惑が強すぎるからです、でもこの事態を見過ごさず、ジェノサイドに対して、堂々と非難声明を出すべきです。ウイグルだけでなく、チベットもモンゴルも、香港も、みんな中国の被害者なのです。アジアの大国日本がきちんと声を挙げないでどうするのですか。国際社会の信用を失ってしまいます。それだけでなく、中国の横暴を後押しする結果になりかねません。

楊逸　二〇〇八年の北京オリンピックのとき、世界は中国共産党のチベット弾圧に、事実上目をつぶってしまいました。日本も声をあげなかった。一九八九年の天安門事件のときも、「民主化」を求めて立ち上がった市民や学生を虐殺した中国政府に対して制裁を加えるべきだったのに、日本はとても消極的でした。悲しいです。

櫻井　あのときに日本の外務省は二つのことを決めたのです。まず「絶対に中国を刺激しないこと。天安門での弾圧を批判するにしても、中国の面子を損なわない形ですること。もうひとつは、中国は鄧小平の改革開放政策を推進中なので、日本はこれを助ける方向で動くべきだ。さもなければ中国は混乱し、それがアジア全体に波及する」というものでした。それを主導したのが外務省の中国語研修組、いわゆる「チャイナスクール組」です。

楊逸　そんな甘いことを言っているから、中国政府は「何をやっても大丈夫だ」と思い込んだのでしょう、その後、やりたい放題の民族弾圧につながっていった……。

櫻井　悪魔的な一党独裁体制の今日の中国になる後押しをしたのが、当時の日本外務省のチャイナスクール組だと言ってよいかもしれません。

日本外務省の中国傾斜と同じ傾向は、政界、財界、そして言論界にも顕著です。ですから日本では、ときどきとんでもない「バランスを欠いた議論」が起こります。そのひとつが東京オリンピック・パラリンピック組織委員会の森喜朗会長発言への反応です。「女性が入ると会議の話が長くなる」という発言自体は、そこだけを取り上げると適切ではありませんが、発言全体を見ると、決して女性差別ではありません。にもかかわらず、大変な非難の嵐になってしまいました。

森会長は辞任して一応、事はおさまりましたが、五輪問題を考えれば、森さんを叩くのであれば、中国政府の所業も厳しく批判しなければおかしいと、私は思います。

北京政府がしていることは女性蔑視とは次元が異なる大問題です。ウイグル人女性への集団レイプ、殺害、宗教や言葉を奪って民族のアイデンティティを消していく。多数の不妊手術まで施して民族浄化作戦を展開しているのが中国政府です。そのお膝元、北京で五輪を開催することがよいことなのか。世界は真剣に議論すべきでしょう。森さんを「五輪精神に反する発言をした」としてひどく非難するのであれば、五輪精神にもっとひどい形で違反している北京政府に、より厳しい非難の声を上げるのが筋です。そのことは明確に発信しておきたいですね。

楊逸　モンゴル、ウイグル、チベットでも、これまでどれだけ被害があったかを検証すると同時に、現在進行中の暴挙を止めなければいけません。これを放っておくと中国共産党の価値観に従って世界が塗り替えられてしまう。共産党一党独裁の継続のために、全世界の人々が奴隷のようになって自由を奪われ、思想信条を奪われる、という危険が迫っています。なんとか阻止しなければいけません。むしろ、いちばんひどい日にあっているのは私たち漢民族かもしれません。大躍進、文化大革命、天安門……。

櫻井　中国共産党政権は、一党独裁の自分たちの権益を拡大し守るために、漢民族、少数民族を問わず「血の弾圧」を続けています。文化大革命による粛清は決して終わったわけではなく、深く静かに、いまも続いているのです、
日本も世界も、背後に控える中国市場の巨大さに幻惑されて、共産党独裁の弊害に目をつぶっている。結果として残虐で、非民主的で、国際秩序を平然と無視する共産党を許している。許しているのは私たちなのです。責任の半分は、私たちにあります。

海外の「反中活動」に神経を尖らせる中国

櫻井　中国政府は海外の「反中国活動」に執拗に目を光らせていますね。ウイグル人を代表する著名人の一人に、民族問題に関する政権批判で九二年に失脚し、アメリカに亡命したラビア・カーディルさんがいます。彼女は「ウイグルの母」と呼ばれていて、「世界ウイグル会議」の代表です。
楊海英　彼女は「国家機密漏洩罪」という罪名に問われましたが、これはとみに政治的色彩が強い。そもそも、どんな犯罪を犯したのかさえ判然としない。

櫻井　そうですね。私の主宰しているシンクタンク「国家基本問題研究所」は二〇一二年に日本でウイグル、モンゴル、チベットの代表を招き、セミナーを開きました。そのときも、中国大使館から「開催するな」と強硬に横槍が入りましたが、「三民族」の代表者も日本の国会議員も「中国の圧力などに屈してたまるものか」という思いで集まりました。実は二〇一二年の四月三日のその日は、台風が上陸して猛烈な雨でした。にもかかわらず、多くの人が集まって会場の憲政記念館の大ホールを埋め尽くしました。日本側は安倍晋三さんをはじめ、多くの政治家が集まりました。チベットからは亡命政府のロブサン・センゲ首相、ウイグルからはラビア・カーディルさんと一緒に、世界ウイグル会議を設立したドルクン・エイサ氏、モンゴルからはオルホノド・ダイケンさんがスピーチをしてくれました。たぶん「三民族」が一堂に会してセミナーを開催したのは、日本ではあのときが初めてではないかと思います。

カーディルさんには何度かお会いしましたが、「習近平が国家主席になってから、弾圧が一段と激化した」と語っていました。ただそれ以前も、ウイグル人弾圧はとても過酷でしたね。

二〇〇六年頃から、すべての学校教育からウイグル語が排除され、ウイグル人の子どもさんは、いま学校ではウイグル語を教えてもらえません。次に標的にされたのは宗教です。十八歳未満のウイグル人はイスラム教の信仰を禁止され、教育関係者もイスラム教関連の行事参加を禁じられています。違反した場合、教師は職を奪われます。

一見してイスラム教徒とわかる容貌や身なりの人は、バスに乗ることさえ許されず、ウイグル人男性はラマダンも禁止されています。敬虔なイスラム教徒として信仰に忠実であろうとすると、大学から追放されたり、学位を剥奪されることもあると言います。

楊海英　言葉を奪い、宗教を奪い、漢民族への同化を強要しているんです。

櫻井　国基研のセミナーは大いに盛り上がり、「みんなで心を合わせて中国政府の不条理な弾圧に声をあげていこう」という意思を互いに確認していたのですが、残念ながら、その後、日本のウイグルの人々の組織は、激しい内部分裂を起こしてしまいました。一緒に戦ってきた仲間が分裂すると、一般的な対立より、もっと深いしこりが残るのでしょうか。ウイグル人組織の内部人事が一新されたりする中で、実際に起きたことは、日本におけるウイグル人の活動能力が鈍ったことでした。このような分裂が起きた背景に中国の画策があると、私は感じています。

楊海英　それが中国共産党の常套手段なのです。全部が全部、中国政府が仕組んだものとは思いませんが、日本のウイグル人組織の分裂を画策したのは間違いないでしょうね。在日モンゴル人の組織でも、同様の内部分裂の動きがありました。モンゴル人組織の場合、私たちはそれをなんとか抑えましたが。

中国は「敵を分断して制圧する」のが得意です。仲間割れさせるために、個人を拘束してみたり、拘束した人の奥さんが他のウイグル人と結婚するのをアレンジしてみたり。ありとあらゆる工作を仕掛けてきます。

櫻井　いかに中国共産党が介入するか、つけ込むか、実体験をした気がします。

楊海英　内部分裂させておいて、自分が調停役を演じるのが、中国共産党の常套手段なのです。新疆ウイグルにはいくつものオアシスがあって、オアシスの地域ごとに対抗意識があるので、それを煽って対立させ、分断していくのです。中国本土に近い地域、たとえばトルファンあたりの人を相手にする場合は、「あなたは真の中国人です」とおだてて抜擢《ばってき》する。一方、パキスタンに近いカシュガルの人には、「あなたこそほんとのウイグル人ですよ。顔もイラン系で、歌も踊りも上手。トルファンなんか田舎くさい」と懐柔するんですよ。そういう形で対立をつくり出し、自分が調停役を演じるのです。

櫻井　国際関係でも同じですね。日本と韓国との間を裂くために、わざと偽情報を流したりする。日韓関係だけでなく、日米同盟や韓米同盟にもほころびが生じるように画策し、楔《くさび》を打ち込む。そして中国が漁夫の利を得るように目論む。漢民族に対しても同じです。政府批判をする漢民族の民主派の人たちの多くが、天安門事件の後、海外に亡命しましたが、共産党政権は海外まで追いかけてきて、巧妙に働きかけますね。

楊海英　内部分裂をさせておいて、「多少デモしてもいいし、過激なスローガンを叫んでも構わないよ。でも最終的には私のコントロール内でのことだよ」と懐柔していくのが、彼らの常套手段なんです。善良で正義感が強い人ほど、そういう中国共産党の陰謀や戦略にはまってしまう。

日本国内にも魔の手が延びている

櫻井　ウイグル、モンゴル、チベットの三つの民族の歴史は、中国に虐げられ続けた歴史です。他方、この人たちと日本との関わりには深いものがあります。彼らの日本に対する思いも深い。日本と三民族が歴史でどのように交わってきたか、どんな影響を与え合ってきたかを知れば、現在の三民族の人々の受けている苦しみについても、日本人と日本国は、もっと「わがこと」として受け止めなければならないのではないかと思います。中国が強引に進めるウイグル人への弾圧に対して、アメリカは時効のない「人道に対する罪」としてジェノサイドと認定したのです。本来、中国のこの悪鬼のような弾圧を告発すべき国は、日本ではないかと思います。民族の悲劇を終わらせるためにも、日本人は断固、沈黙していてはいけないのです。

楊海英　日本の国内政治に対しても、同じように分断と懐柔工作をしていますね。たとえば自民党内には親中派を育てていき、公明党相手には「中国と公明党さんは、周恩来の時代からいいおつきあいをしていますから」と〝盟友〟であることをアピールする。

櫻井　「中国との交流の井戸を掘ってくれたあなた方のことを、決して忘れません」とね。

楊海英　「恩人のことは忘れません」と甘い言葉を囁くわけですね。すると、何かあれば、自民党内親中派と公明党が登場し、中国に有利になるように働いてくれる。憲法九条が改正されないように、あるいは日本の漁船が尖閣諸島で中国海警局の船に追い回されても、海上保安庁が積極的に手出しできないようにしておくのが、彼らの目的なんです。ウイグル問題に対しても、同じような形で分断して、相手を無力化するんです。

櫻井　なのに日本は、「友好」を維持しようとして躍起です。尖閣諸島海域での領海侵犯にも、何の理由もなく日本人をスパイ容疑で逮捕して人質のように扱っていることに対しても、日本側は決して声高には抗議しません。「友好」という薄い衣一枚をふわっと掛けて、中国を刺激しないように、問題から目をそらすのです。

楊海英　世界最大の独裁国家の独裁者・習近平を国賓として招くなんて、国家としての日本の破滅です。かつてヒトラーをゲストとして歓迎したイタリアが、その後、どうなっていったかを見れば、いかに愚かなことか、わかるはずです。

ウイグルで実際に見てきたこと

櫻井　ウイグルで行われているジェノサイドの実態についてですが、中国政府が言う「職業訓練的」なレベルだった時期はあるのですか?

楊海英　いや、とてもそうとは思えない。私は一九九一年から九三年まで三年間、毎年、新疆地区で調査をしたことがあります。その頃から悲惨な状態にありましたが、二〇一三年、二十年ぶりに訪れたときは、想像を絶するほどでした。二〇〇九年のウルムチ騒乱の後のことです。

櫻井　二〇〇九年七月五日に起きた騒乱事件ですね。

楊海英　そうです。ここで大規模なデモが起こった背景には、その六月に広東省の玩具工場で起こった出来事があります。デマが発端になって勤務しているウイグル人が中国人に襲撃され、多数が殺傷されたのですが、襲撃した側の刑事処分が曖昧にされてしまった。そこでウイグル内で不満が高まり、死者百九十二人、負傷者千七百二十一人という大規模な騒乱に発展したのです。

この事件をきっかけにして、中国当局の締め付けが厳重になりました。「新疆は早晩、中国のパレスチナになる」と、少数民族問題に取り組む作家・王力雄氏は指摘しています。周囲をイスラエルに囲まれて〝窒息〟寸前になっているだけでなく、自分たちの土地がどんどん奪われていく悲劇が、ウイグルでも繰り広げられているんです。

二〇一三年春には、新疆ウイグル自治区の首府ウルムチから最西端のカシュガルまで往復したのですが、毎晩、都市部のホテルに宿泊すると、あらゆる施設の玄関に金属探知機が設置されているのです。外国人と漢民族の人たちは自由に出入りできますが、ウイグル人だと見られると、厳重なチェックを受けなければなりません。

しかもホテルやレストランでは、いたるところに「礼拝禁止」と大書された張り紙がありました。イスラム教信者のウイグル人は一日五回の礼拝が「アラーとの約束」です。それを禁じているのです。

街に出てイスラム食堂に行ったら、厨房の包丁が鉄のチェーンでつなげられ、持ち出せないようになっている。男性は収容所に送られていて不在の場合が多いから、レストランで働くのは女性たちだけ。彼女たちが包丁で何をするというのでしょうか。「奇妙な風景だな」と思って写真を撮ろうとしたら、それまでどこにいたのかわからない漢民族の男が突然現れ、「写真だめ」と叫ぶ。高速道路でカシュガルに向かうと、途中数十キロごとにチェックポイントが置かれています。そこでウイグル人たちが列をつくって並び、身分証明書をリーダーに読ませている。ひげをたくわえた男がいると、「イスラム過激派」と目されてその場で拘束されてしまいます。外国人と漢族と、私の現地案内人のモンゴル人はほとんどフリーパスです。ウイグル人は全員、チェックを受ける。その脇で人民解放軍兵士が機関銃を構えて立っているんです。

カシュガルに入る手前の村で食事をしていたら、突然、銃声が響いてきました。とっさに撮影しようとしたら一緒にいた日本人が取り乱して、「殺されるからやめろ」と叫ぶんです。村に入ったら人だかりができていて、何やらウイグル人が抗議している。どう見ても普通の村人でした。結局、事情は不明のまま、彼がどうなったのかもわかりません。

クチャという町では、すべてのウイグル人家庭の玄関先に、所管の警察の写真と携帯電話番号が記されたポスターが貼ってあるのを目にしました。「民族分裂活動を行う不審者を見つけたら、ただちに通報せよ」と書かれています。当然、漢民族の玄関先には何の張り紙もありません。明らかにウイグル人に差別と不信の目を向けている証拠です。

楊逸　もうそのとき（二〇一三年）には、強制収容所があったのですか？

楊海英　できつつありました。夜、散歩に出て現地のウイグル人に話を聞いたところ、「もう何もできなくなった」と肩を落とすのです。たとえば店を出したいと思っても、身分証明書は揃っているのに出店許可がおりない。仕事ができず生活の手段が奪われる。それと反比例して、甘粛省、四川省から漢民族がどんどん入ってきて、彼らは一切書類がなくても、出店、就職、なんでもすぐＯＫ。こうして人口比率が逆転していくんです。

一九四九年の時点で、漢民族は新疆ウイグル自治区に二十八万人しかいませんでした。それなのに、いまは二千万人を超えています。ウイグル人はおそらく八百万から九百万人。完全に人口比率が逆転してしまいました。

「中華民族団結」の美名に隠されたウイグル消滅

楊逸　それが毛沢東の言う「砂を混ぜる（掺沙子《ツァンサーズ》）政策」。「中華民族団結」なんて美しいスローガンを掲げる一方で、もとあった土にどんどん砂（漢人）を混ぜて、人口比を変えていき、権力を奪っていくんですよ。

櫻井　ウルムチ騒乱の後、二〇一四年の春にウイグル自治区で暴動が起きているのですが、その年に習近平が視察をしています。そして非公開の場でウイグル人への接し方の指示を出しているのですが、それは「テロや分離主義者との戦いなんだから徹底的に潰せ、情け容赦は無用だ」という内容です。「とにかく徹底的にやっつけろ」と指示した命令書が残っています。新疆ウイグル自治区に香港の影響が及ぶのを恐れて、自治区の役人に配布されたものです。ウイグル人や学生の扱い方をはじめ、ウイグル人の徹底監視、再教育、弾圧、人間改造など、ウイグル人であることをあきらめさせ、漢民族と中国共産党に忠誠を誓う人間へと思想改造するための具体例が、全二十四通あって、全体で四百ページあまりにわたって記されています。これを二〇一九年、ニューヨークタイムズがスクープしたんです。

それで世界中にウイグル人弾圧が知られるようになったのです。

楊海英　ウイグル人というのは、本来、穏やかなイスラム教徒です。「我が国の西域オアシスには歌と踊りの上手なウイグル人が暮らす」と、中国人がロマンチックに語るほど。

櫻井　そんな人たちが、これほど不穏な動きをするなんて、尋常ではありませんね。漢民族が増えて、砂にまぶすようにして「民族浄化作戦」が実施されたからなんですね。理不尽な理由で土地を奪われる、まともな仕事にも就けない、言語も制限される、宗教は否定される……暴動が起きるのは当然です。それに対して「徹底的にやっつけろ」という指示があるということは、最初からそれを見越していたということですね。習近平は、弾圧によって業績を残し、出世した人です。

楊海英　「あの歌と踊りが上手な民族が、なぜテロに走るのか？」と中国人は不思議に思うらしいのですが、自分たちの強権的な支配が彼らを追い詰めているということを、彼らは反省しようともしない。

楊逸　文化大革命時代に知識人を田舎に下放したときも、同じようなことをやりました。知識人を思想改造のために農村に送り、体力仕事をさせる一方、教育を受けていない農民や工場作業員たちを、学校や病院などに送ったりしていました。〝改造〟される知識人たちは「ツアンサーズ」と皮肉っていたものです。文化大革命で私たちが農村に送られて「再教育」を受けたのと、いまのウイグル人が「再教育センター」に入れられて、洗脳されているのとは同じ構図で、共産党が一貫してやってきた方法です。

楊海英　国民党を崩壊させるときも同じでした。国民党政府の軍隊の中に共産党員を潜らせて……国民党の蔣介石が気づいたら、まわりは共産党員だらけだった。

楊逸　毛沢東の人海戦術というものがあって、それが全世界に浸透しているように感じます。私は中国を出て日本に来て、香港問題やコロナなど危機感がどんどん高まりました。東京にいながら周囲を見回すと、いろんな分野で中国人が活躍しています。特に親共産党派。日本にいても「混ぜられ続けている」ことの恐怖感があります。

楊海英　人間が移動することは悪いことではありません。人類は移動するものですからね。でも、特定の政治的目的を持って相手を転覆させようとするのは論外です。漢族の人間が東トルキスタンに入ってウイグル人と暮らすのは悪いことではないですが、人口比を意図的に逆転させたり、女性が子どもを生まないよう仕向けたりすると、これは問題ですよね。砂に混ぜて砂に埋もれさせ、性質を変えるなんて、人類全体に対する冒瀆です。

楊逸　黄河流域の土地みたいに「砂化」していってしまいます。海外への浸透は中国の得意技で、私も日本に来て三十年ほど経ちますが、気がついたら、中国人が大勢入り込んでいて、こんなに変わっているんだとびっくりしました。

櫻井　日本人も砂に混ぜられているという指摘、とても深刻ですが、感覚として十分にあり得るだろうと思いました。日本における定住外国人の数は、これまでは朝鮮半島出身者が一番でした。それがあっという間に逆転されて、いまは永住者も含めて、中国人が百万人を超えている。対する韓国人は四十万人です。

楊逸　日本も欧米でもそうですが、中国人自らが表に立つわけではありません。必ず現地出身の有名な誰かを代理人にして、背後から操る。とても悪質です。

楊海英　内モンゴルでも同じです。最初はモンゴル人を代表にして、やがて不要になると排除していく。ウイグルでもそうです。

「9・11同時多発テロ」をイスラム弾圧に利用

楊逸　ウイグルの問題は、ニューヨークでイスラム過激派のアルカイダが起こした「9・11同時多発テロ」とリンクしています。同時多発テロは二〇〇一年九月十一日のことですから、習近平が登場する二〇一二年のはるか前から、ウイグルで弾圧は実行されています。この事件のすぐ後、雲南省の昆明駅で爆破事件があった。でもこれは、中国政府がわざと爆弾を仕掛けたという推測が、当初からありました。中国は「9・11」以後の世界的反テロリストの風潮を利用して、ウイグル弾圧を正当化しようという狙いがあったのではないかと、私は考えています。イスラム原理主義者との関連づけをするために、昆明駅爆破事件を利用したんじゃないかとね。もしかしたら、自ら仕掛けたのもかもしれない……。

櫻井　確かに、9・11事件が起きたことによって、途轍もない大きな変化が起きるんです。9・11は息子のほうのブッシュ政権の時代ですが、彼はアメリカの敵として、イラン、イラク、北朝鮮を……。

楊逸　「悪の枢軸国」と名指しした。

櫻井　イラン、イラク、北朝鮮がアメリカに対するテロ攻撃の背景にいるとの認識で、この三国を「悪の枢軸」とした。そこで中国は「待ってました」とばかりに、9・11事件を利用したのです。すぐにアメリカにメッセージを送って、「我々はイスラム原理主義者たちの情報を持っている。国内のイスラム教徒、ウイグル人たちの中にもこういうテロリストがいる」とブッシュ政権に情報を提供した。テロとの戦いを優先したアメリカは、それまで中国を「戦略的ライバル」と位置づけて警戒していたのですが、テロリストの情報などをもらったことで、「安全保障の協力者」というふうに見方を変えました。その結果、中国政府の不当な弾圧に目をつぶる状況になったのです。

楊海英　ちょうど9・11のときに、私は寧夏回族《ねいかかいぞく》自治区、甘粛省、チベットの青海で調査を行っていました。この地域のイスラムの人たちは、一九世紀末に清朝の抑圧に反抗したことがあり、弾圧された歴史を持っています。現地調査に行ったのは9・11の数日後でしたが、現地のイスラムの人たちが情勢を敏感に察知していて、「これから弾圧が厳しくなる」と語っていました。直感でわかっていたんです。隣接する新疆との行き来は遮断され、地元のモスクは破壊されるようになりました。私を受け入れたのが地元の宗教局、宗教を管轄する役所です。その宗教局の幹部たちもイスラム教徒ですが、「これからは難しくなるな」と頭を抱えていました。「アメリカこそテロリストだ」と叫ぶ人がいると、「その発言はまずい。中共政府に利用されるから静かにしていろ」と宗教局の人間が制止する。案の定、激しい弾圧が始まりました。

櫻井　9・11当時の中国共産党主席は江沢民でした。彼がパキスタンとアフガニスタンにいるウイグル人テロリストの情報をアメリカに提供する。それを機にアメリカは、「アメリカにとって、テロとの戦いこそ中国や北朝鮮などの国家との戦いよりも脅威なのだ」と、政策の大転換を図り、中国と協力関係に入ったのです。

そのときの日本の総理大臣は小泉純一郎氏でした。二〇〇一年九月二十四日、小泉氏はニューヨークのワールド・トレードセンターの瓦礫の上にブッシュ大統領と一緒に立ち、上手とは決して言えない英語で、「日本はアメリカとともにテロと戦う！」と語り、ブッシュ大統領を感激させたのです。そんなこともあり、二〇〇三年五月にテキサス州クロフォードのブッシュ氏の別荘に招かれました。日本政府は、日米関係の緊密さを喧伝しましたが、よく見れば中国外交もアメリカ外交も、日本よりはるかにしたたかです。

小泉氏がクロフォードに行く前年に、江沢民氏のほうが先に招かれているのです。ただし小泉さんはブッシュ氏の別荘に泊めてもらったのに、江沢民氏は宿泊を望んだけれども泊めてもらえなかったという違いはあります。

ともかくブッシュ・江沢民会談で中国国内のウイグル人弾圧に対して、アメリカが事実上目をつぶる政治的な流れができてしまったんですね。ウイグル問題は、国際政治に利用されてきた。それ以来、ウイグル人に対する度を越した仕打ちは、「テロ対策」という偽りの名目で推進されてきたのが実態だと思います。

イメージ操作で差別を煽る

楊逸　ありもしない事件をでっちあげて、ウイグル人のイメージを貶める。すると瞬く間に悪いイメージが広がるのです。だから北京や内陸都市では、ウイグル人はホテルにも泊まれません。

私も漢民族のひとりで、身近にウイグル人がいないので、ウイグル民族というのをあまり知らなかった。だから巷間に流布する悪いイメージを鵜呑みにしてしまった苦い経験があります。我々は「ウイグル人は凶暴だ」という教育を受けました。彼らは遊牧民族だから、ナイフを携帯していることが多い。「ウイグル族は掏摸《すり》や泥棒を働き、追いかけるとナイフを取り出すから用心しろ」と意識に擦り込まれると、余計に怖くなってしまう。そういう教育の中で、どんどんウイグル人は追い詰められていく。ウイグル人を抹消し同化する計画は、ずいぶん前から練られていたのではないかと思います。

楊海英　漢民族が少数民族に抱くイメージには、いくつか決まったパターンがあるんです。野蛮、喧嘩早い、すぐナイフを抜く……でもどれもつくられたイメージです。

楊逸　大酒のみというのもありますよ（笑）。

楊海英　乱暴でアル中で、肉をよく食べる……。それでチベット人やウイグル人、モンゴル人がやって来ると、「あなた、喧嘩が強いでしょ」なんて聞いたりします。

楊逸　そういう噂が流れているから、漢人は彼らに近づかないですね。私、一度ハルビンから北京まで列車に乗ったことがあるんですが、隣の席にウイグル人がふたり乗っていた。あまり通じない言葉で「ナイフ持ってる？」なんて訊いた覚えがあります。でも、笑ったり冗談を言ったり、会話が不自由ながら、楽しく過ごしました。結局、ナイフは見せてもられなかったけれど（笑）。

楊海英　つくられたイメージが差別に繫がり、差別された側は反発する、反発すると弾圧されるという悪循環の繰り返し。先ほどのウルムチ騒乱の発端になった湖南省の事件のきっかけは、玩具工場でイスラムの人たちにわざと豚肉料理を出したり、ウイグル人だけ旅館に泊めてもらえなかったりといった差別が原因です。何かというと集団で攻撃される。すると彼らも爆発して反抗する。と余計に「ウイグル人のテロリストだ」となるんですよ。漢民族同士でも、もちろん民事紛争があるのですが、その〝ガス抜き〟の方向が異民族に向かう。「同じ民族でないと心も違う」というのは古典の中にある言葉ですが、それがずっと頭の中に染み込んでいるんですよ。だから、中国の場合は決して共産党だけの問題ではなく、漢民族の問題なのです。

楊逸　尊大で自己中心的な「華夷思想」としか、言いようがないですね。

楊海英　多少おだてるならば「歌と踊りが上手」というイメージもあります。ウイグル人だって歌えない人もいるし、モンゴル人だって踊れない人がいるわけなのに……。

楊逸　手口が悪質なんですよ。汚い手を使って、人の心のすみずみにまでその意識を持たせる。つまり洗脳する。漢民族の人たちは、無意識の中で踊らされている。「ウイグル・ジェノサイド」が騒がれていても、海外にいる漢民族の中国人は、必ずしも彼らに同情していない。中国政府のプロパガンダを鵜呑みにしているから、裏が読めない。洗脳されているから、彼らの訴えを信用しない。それをわからせるのは、とても難しい。

櫻井　私には家族ぐるみでつきあっていた漢民族の友人がいたんです。とても良い関係が構築されていたと私は思っていました。中国と日本の相違や特徴についてもよく話したものです。一緒に長い時間を過ごして、それは楽しい思い出です。でも私が中国共産党を激しく批判するものだから、やがて交流は途絶えてしまいました。

日本人に対しても上から目線で語ることがあり、それはそれで驚きだったのですが、あるとき中国の異民族に対する侮蔑的な姿勢を見たのが、強い印象となって残っています。それは、彼らと旅行したときのことでした。買い物でお店に入ったら、明らかに出稼ぎで日本にやってきた中国人の店員がいました。すると友人夫妻がその人たちを馬鹿にするのです。「言葉がおかしい」「教養がない」「彼らは中国人じゃない。下等民族だ」とまで言う。確かに農村出身者かもしれないけど、日本に来られるくらいだから、それなりに頑張ってきた人たちのはずです。でも友人夫妻は、自分たちは主流の漢民族だという気持ちが強いので、出稼ぎ中国人と同じように見られるのさえ嫌がる。日本人にも差別意識はもちろんありますが、あそこまでひどくはないと思いました。漢民族の、とりわけ中枢にいる人たちは、同族に対してもそういう意識を持ち、異民族に対しては、より激しい差別意識を持つように教育されているわけですか?

楊逸　そういう環境はあります。綿々と流れ続けてきた階級意識は、一朝一夕では払拭できません。共産党支配になってから、「地主階級」だとか「資本家階級」を標的にして、そういう言葉をよく使いますが、それは、その概念が根強く残っていることの裏返しです。

ある日突然「下放」命令が

櫻井　楊逸さんご自身も、「地主階級」「資本家階級」を理由にされて、文化大革命のときにひどい目にあったんでしょ？

楊逸　五歳半のとき、なんの前触れもなくハルビン市教育局幹部たちが家にやってきて、いきなり「お前たちは農村に行け」と言うんです。一九七〇年一月、いわゆる「下放」です。

櫻井　ご両親は地主階級だったのですか？

楊逸　母は地主階級の出身のために、私の一家は子どもも含めて「反動派」とされ、思想改造しなければならないと判断されたようです。両親はそれまでハルビン市内のごく平凡な教師としてつとめ、貧しいけれど、普通に幸せに暮らしていました。でも春節間近の冬のある日、「農村に行って、再教育を受けろ」と命じられた。

櫻井　下放先では、大変な苦労をされたんでしょう？

楊逸　ハルビン市の北にある「蘭西県」というところに行かされたのですが、電気も水道もなく、窓もドアも枠があるだけで、廃屋に凄まじい勢いで「ウォーン」と音を立てて寒風が吹き込む。親子五人、マイナス三十度の酷寒の世界に突然放り出されてしまってサバイバル生活です。寒くて、寒くて、ありったけの服やふとんを体に巻いて寝ました。いつ凍死してもおかしくないような状態でした。

櫻井　ろくな準備もさせないまま、追いやるのですね。「人道」の観念がまったくない。

楊逸　〝反動派〟をいじめるのが目的ですからね。布団や鍋・釜など最低限の荷物だけあれば十分だろうと考えたんでしょう。よく冬が越せたものだと、いまもしみじみ思いますよ。学校は遠くて、歩いて一時間ほどかかったような記憶があります。毎日、それを往復していました。もっとも私は小さかったから、すごく遠く感じたのかもしれません。

櫻井　学校では何を教わったのですか？

楊逸　授業は毛沢東思想の学習が主体。そのための下放なのですから。クラスメイトはほとんど現地の農家の子どもたちで、ハルビンから一緒のバスで来た人たちはいない。「工農兵（工場の作業員、農民、解放軍兵士）はリード階級」という趣旨の再教育が目的なので、都市の〝ブルジョア思想に染まった連中〟を一緒にしておくはずはないのです。

定期的に反省会や勉強会が開かれ『毛主席選集』を勉強して、「学習心得」を発表したり、「出身階級として人民を搾取した罪」を反省させられたりして、無論、反省文を書かされることもしょっちゅうでした。「再教育の効果が上がっていない」と認められてしまうと、自己批判を要求されることもあったらしいのです。

とはいえ『毛沢東語録』をきちんと唱えられれば、個人の奥底にまでは入り込んでこない。しかし、少しでも意見を言おうものなら、『反革命言論』とされる恐れがあって、下手にしたら命が奪われる可能性さえあります。なので、父も母もあの時代の知識人と同じように、じっと沈黙して、堪えるしか、生きるすべはありませんでした。

櫻井　表面的な、つまらないことばかりを重要視する典型的な形式主義なんですね。それはいまの習近平政権にも引き継がれているのでしょうね。

楊逸　私が育ったのはちょうど中国の食料過不足していた時代で、主食であるはずの米も小麦粉も、食べられるのはお正月くらいで、普段はもっぱらトウモロコシの粉でつくった蒸しパンと漬物で、お腹をごまかしていました。でも「定量配給制」のため、それすら満足に食べられません。だから常時お腹が空いているという状態なんですね。あの頃の食生活については、以前『おいしい中国　酸甜苦辣の大陸』（文藝春秋）にも詳しく書いたことがあります。

常に他人との比較で満足を得たい中国人

楊逸　そんな経験までした私自身でも、友人との会話で差別的発言が出てしまうことがあります。意識せずに口にしてしまう。自分で気づいたときに反省したりしますが、よく考えたら、中国は、「幹部の家庭はどうなのか」とか「金持ちの家庭はどうなのか」など、常に他人と比べながら生きていかなければならない社会なのです。その中で、どうしても自分を優位に見せたい願望が、無意識のうちに出てしまう。

楊海英　優越感を持ちたいという意識を醸成させるように仕向けるのが中国社会なのです。

楊逸　そうですね、特に弱い者ほどそう見せたがる。はっと気づいたときはすごいショックでした。私もその中にいて、同じような行動、会話を繰り返してきたというのが、とても驚き。でも、そんなふうな〝気づき〟がなければ、反省する機会がないんですよ。

櫻井　それじゃあ、大陸にいる人たちはほとんど気がつかない？

楊逸　大陸だけではなく、日本でも私の周りの人たちは同じ環境にいます。だから私は日本人と接触する機会が増えれば増えるほど、反省したりするんですけれど、逆に同郷の人たちと話すと、とても違和感を覚える。日本にいる中国人で差別意識が強い人は多いけれど、なかなか気づかない。また、自分の立場が弱いので、よけいに自分より弱いものを差別したがるという意識もあると思います。

楊海英　エリート階層の人には、特にその意識が強い。社会階層の中で優位に立ちたい。そして優位に立つと、自分より下の人をいじめたくなる。

楊逸　先ほど櫻井さんが例に挙げたお友達は、教養ある家庭の出身でしたか？

櫻井　エリート一家の出身でした。書をよくし、漢詩をつくって美しい文字で書いて贈ってくださったりしました。そういう意味では、教養ある人たちだと思います。日本を引き揚げて中国に戻り、かなりの財を成してもいます。お嬢さんたちはアメリカの大学に留学していますね。

楊逸　身分的にはエリートかもしれませんが、人間への思いやりを考えると、真に教養があるとは思えないですね……。

楊海英　私もモンゴルから北京の大学に進んで、ショックを受けたことがあります。私はモンゴル草原で育ち、隣に漢民族の人もいたけれど、彼らは普通の農民です。いろいろなトラブルもあるけど、お互いに人間同士と考えていました。

ところが北京に行くと、北京の人からモンゴル人は野蛮人扱いされるんです。「北京の大学にモンゴル人が入学した」と、わざわざ見物に来るほどです。農村出身者なんて、そもそも自分たちと異なる人間だと思っているからです。

儒教の思想の中に昔から、「読書人と非読書人は、そもそも人間が違う」という考え方があります。これも一種の専制主義。本はできるだけ読んだほうがいいと思いますが、でも教養のない人間を差別するのは別問題。すると、優位に立つほど下を押さえたくなる。それがエスカレートすると、命を奪ってもなんとも思わなくなる。民族関係も同じです。漢民族が頂点に君臨し、その下に東夷《とうい》・南蛮《なんばん》・北狄《ほくてき》・西戎《せいじゅう》という野蛮人たちがいて、彼らに対しては何をしても許されると思ってしまう。弾圧してもいい、殺してもいいと。

櫻井　中国は「徳をもって民を治める」を標榜してきた国ですね。日本人が理解し難いことのひとつが、中国人の教養と実際の行動のギャップなのです。人の行動と彼らが語る中国の哲学者たち、例えば孔子の教える「徳知」などはどう関連してくるのですか？

楊海英　孔子は「徳を与える」ことを説きましたが、中国にとってこれは「相手を同化させること」と同義語なのです。徳があるのは、あくまで自分のほう。だから相手が自分たちの〝進んだ〟文化を取り入れて、自分たちにひれ伏すのは当たり前。それが「徳知」というのです。自己中心主義で、開いた口が塞がらない。どこまでいっても自分たちの文化が最優先という考え方なんですよ。

櫻井　だから、モンゴルの学校ではモンゴル文字もモンゴル文化も教えてはいけないということになるのですね。

楊海英　その通りです。ことの発端は二〇二〇年、内モンゴル自治区で、モンゴル語教育を禁止するという措置が発表されました。中学以上の教育機関で、「国語」に当たるモンゴル語以外は、すべて中国語で実施するというのです。その理由が、極めて乱暴です。「モンゴル語は近代化に不向きで、〝先進的な中国語〟で教育したほうが、モンゴル人の地位向上につながる」というんです。特定の言語が近代化に向き不向きかなどを決めるなんて、現代中国人以外には発想しないはずです。なんの根拠もなく、自分たちを「世界一優秀な民族で、中国は天下の中心である」と考え、それを押し付ける。まさに「夜郎自大」としか言いようがないですね。

しかも奇妙なことに、これほど重大な政策転換にもかかわらず、公文書は一切残されていないのです。公文書なしに既成事実を先につくって、後から追認するというのも、いかにも中国政府がやりそうなことです。

櫻井　学校教育からモンゴル語をなくして、モンゴル人の母語を奪う。それで中国化させる。これは文化的ジェノサイド以外の何物でもないですね。

楊海英　その結果、モンゴル人はかなり、中国人と同化されてしまいました。それでもウイグルはなかなか言うこときかないから、「いっそ、殺しちまえ」ということで「民族浄化」を始めたというわけでしょうね。

日本人には「ウイグル人のジェノサイド」のほうが知られているが、南モンゴル（中国の内モンゴル自治区。現地の人はこう呼ぶ）でも、モンゴル人が弾圧されてきた。

内モンゴルは中国の北部、北隣は独立国のモンゴル国（旧モンゴル人民共和国）。内モンゴルとモンゴル国の人民は同じモンゴル族であるが、内モンゴルの人たちだけ中国の支配下にある。それは、近代以降の内モンゴルが、日本と中国の二重の植民地だったからで、第二次世界大戦が終結した際、ソ連軍とモンゴル人民共和国の連合軍が日本の植民地、統治を解体して内モンゴルの人たちを解放したが、結局内モンゴルは中国の支配下に置かれてしまった。

中国は、自国の周辺に住む少数民族を「昔からの臣民」とみなし、植民を進める地域を「有史以来の固有の領土」と主張してきた。そして当地の少数民族を虐待し、それを「民族解放」と主張する。そして新たに侵略して占領した少数民族の土地では「社会主義建設」の美名の下「同化」が強制され、少しでも抵抗すれば、容赦ない虐殺が繰り返される。これはモンゴルだけでなく、ウイグルもチベットも同様である。

中国は内モンゴルについて、文化大革命を利用して、「モンゴル人に二つの原罪がある」と糾弾した。「第一の罪」は「対日協力」で、満洲国時代に

Column 南モンゴルのジェノサイド

「日本帝国主義者と協力して中国人民を殺害した」こと。「第二の罪」は、日本が撤退した後に、モンゴル人は中国を選ばず、同胞の国であるモンゴル人民共和国との統一合併を求めたこと。

この二つの「罪」が「民族分裂の歴史」だと断じられて、計三十四万人が逮捕され、二万七千九人が殺害され、十二万人が負傷した。

中国人は、自分が字も読めなくても、モンゴル語とチベット語、それに日本語やロシア語などを自由に操るモンゴル人を「野蛮人」、「草地の韃子(ダーツ)」と呼んで差別する。彼らは「自分たちが一番優れた人種で、その他の民族はすべて劣っている」という中華思想を改めようとしない。

現在、内モンゴルで行政や経済を取り仕切っているのは中国人なので、中国語ができないと就職もできない。そしていま、学校での中国語教育を強制し、モンゴル語やモンゴル文化を教えることを制限している。中国政府は、「モンゴル語は先進的な科学技術や中国流の思想道徳を教えるのに不向き」などと理不尽な説明をしている。

このように民族の文化教育を制限し、民族のアイデンティティを喪失させようとしている。こんな教育への介入に反発し、抗議デモを行うモンゴル人は、ことごとく逮捕されている。公安当局は抗議デモに参加した住民の顔写真を張り出し、逮捕に協力をした者には懸賞金を与えると布告している。

また、ウイグルと同様に、逮捕者は刑務所から出て来られず、思想教育の名の下、強制労働を強いられる。刑務所で死亡し、家族が遺体を持ち帰りたいと懇願しても、当局は引き渡しを拒否する。こうした強硬政策で、反対者を一気に炙り出し、一網打尽に捕らえ、刑務所に送ろうとしている。民族の言語や宗教を長期的に圧殺し、民族のアイデンティティを失わせて、漢民族への〝同化〟を迫る。目に見えない形で、民族浄化が確実に進んでいるのだ。

このままではいずれ、ウイグル問題、チベット問題と同様に、モンゴル問題そのものが消えてしまう可能性がある。それを中国政府は「合理的な解決法」にしようと目論んでいる。

Column チベット問題

チベット自治区では、一九五一年の中国による〝併合〟以来、何度も抵抗運動が繰り広げられた。最大のものは一九五九年に頂点に達した「チベット動乱（独立運動）」。中国に占領されて抑圧され、経済的搾取や社会的差別、果ては環境破壊にさらされたチベット人の不満が爆発したもの。この騒乱での死者・負傷者・捕虜者は九万三千人に上る。俗に「中央チベットの大虐殺」とも呼ばれる。生命の危機を感じたダライ・ラマ一四世はインドに亡命。インドへの国境越えの直前、チベット臨時政府樹立を宣言し、現在に至る。法王を慕ってチベットの民衆八万人もインドへ亡命した。その後も幾度となく「反乱運動」が勃発するが、いずれも鎮圧されるばかりか、国際社会も大きな声を上げてこなかった。

「一九五九年のチベット占領から六二年までに、中国人はチベットの寺院の九八％を破壊し、九九・九％の僧侶・尼僧を追放した」と、亡命政府のセンゲ首相は語る。弾圧は宗教だけにとどまらず、チベットの文化も習慣も、伝統的な衣服の着用も禁止され、毛沢東の詰襟服の着用を強いられているそうだ。「チベット人が生きていく上で関わりのあるすべてを削ぎ取られ、チベット文明は完全に破壊された」と主張する。

しかし、センゲ首相は力強く語る。

「幸いなことにダライ・ラマ法王の考えのもと、チベット人は亡命先のインドで、レンガを一つひとつ積み上げるように、チベット文化の再建を進めています」

この陰には、インドやアメリカのように、中国の意向に左右されず、チベットを支え続ける国々の存在がある。アメリカの大統領は必ずホワイトハウスに法王を招き、予算の中に堂々とチベット支援の項目を立てている。日本もその支援の輪に積極的に加わり、チベットを助けていくべきである。

現在の懸念は、高齢を迎えたダライ・ラマ法王の後継者を中国が指名しようとしていること。中国は法王を制すれば、チベット人の背骨を砕けると考えているのだ。日本が中国に支配されないためにも、チベットで普通に生きていけるように、日本人ももっとチベット問題に関心を持つべきだろう。

Column 文化大革命の悲劇

文化大革命は、一九六六年から約十年間にわたって中国国内で展開された思想改革運動。「資本主義化による封建的政治腐敗を正し、人民による社会主義文化をつくり上げる」という大義名分は、当時の多くの若者や労働者たちの心をつかんだが、その内実は、「大躍進政策」と呼ばれる国内増産政策の失敗により失脚していた毛沢東が、自身の理想を実現するために若者たちを焚きつけた権力闘争にすぎなかった。毛沢東は、産業の乏しかった中国の自活の道として、「大躍進政策」と呼ばれる農業をはじめとした産業改革を断行したが、急激な増産体制は国民を疲弊させ、多くの餓死者を生み出した。

毛沢東はこの責任を取って失脚するのだが、腹心の林彪や「四人組」と呼ばれる共産党幹部らとともに若者たちを扇動し、「紅衛兵」と呼ばれる組織に育てていく。社会主義国家体制ゆえに生じる経済停滞や社会問題を「資本主義や封建社会、ブルジョワ階級中心の構造によるもの」にすりかえ、プロパガンダを展開していく。それは、かねてから不満をためていた民衆たちの心を瞬く間に掌握し、劉少奇や鄧小平など、市場経済の導入を図った走資派の政権幹部を迫害していくことになる。

イデオロギー的に未熟な若者たちが中心となる「紅衛兵」の暴走は全国的に広がり、伝統文化や人々に甚大な被害をもたらしたが、やがて紅衛兵の活動は、しだいに毛沢東自身にも制御不能なほど、先鋭化したものになっていく。文化大革命が終息するのは一九七六年。毛沢東の死去とそれに伴う四人組の逮捕によって、ようやく国家的騒乱は終わりを告げた。しかしこの運動は、多くの罪のない人々を死に追いやり、また「新しい社会建設」の理想に燃えた若者たちの挫折をもたらした。推定死亡者は二千万人ともいわれる。「紅衛兵」は正義の名のもとに、人々の生活や伝統文化を破壊し、結果的に共産主義社会の矛盾を暴いてしまったともいえる。毛沢東の死後、中国は鄧小平を中心とする体制に移行し、「改革開放」の市場経済路線に大きく舵を切ることになる。しかし、「革命」という言葉を「正義」の体現として他に押し付け、暴力や破壊を正当化する中国共産党の行為は、文化大革命以降も、現在、世界各地で繰り広げられている。

Column 天安門事件

一九八九年、「改革派」と目された胡耀邦元総書記の死をきっかけに、北京の天安門広場に約十万人の若者が集まり、同氏の死を悼むとともに、改革開放を求めるデモを行った。デモには特別リーダーがおらず、また最初は天安門広場周辺に集中していたが、やがて上海など各都市に波及していった。

「中国共産党体制批判」の機運は高まる一方で、危機を感じ取った鄧小平中央軍事委員会主席の決定によって北京に戒厳令が布告され、武力介入の可能性が高まった。そこで趙紫陽総書記などがデモの平和的解散を促したが、強硬派主導でデモが継続された。

首都機能は完全に麻痺し、六月四日未明、人民解放軍が出動、デモ隊を鎮圧した。戒厳令に反対した趙紫陽は全役職を解任され、死去するまで自宅軟禁下に置かれた。

この武力弾圧には、国際社会から猛烈な批判を浴び、身の危険を感じて国外に脱出した者も多い。犠牲者数は中国共産党の発表では三百十九人だが、イギリス政府公文書では一万人を超えるとされている。

第二章

「世界一」にしがみつく中国の虚妄

異民族を「同化させる」習近平の無知

楊逸　いま、とても話題になっている本に、漫画家の清水ともみさんの『命がけの証言』（WAC）があります。習近平政権によるウイグル人弾圧の実態を漫画にしたもので、新疆ウイグル自治区にある「再教育施設」（職業技能訓練センター）なる「強制収容所」には、これまで百万人以上のイスラム信仰のウイグル人が拘束された。ナチスの「アウシュビッツ」に匹敵する「絶滅施設」から生還した六人の悲惨な体験を、証言をもとに日本人の著者が漫画に描いた本ですね。ここに登場したウイグル人のひとりが語っていますね。「私たちの国は新疆ウイグル自治区ではなく東トルキスタンです」って。本来、ウイグルは中国の土地ではないはずなんですよね。

楊海英　新疆ウイグル自治区のウイグル人は本来、民族や宗教、文化の面で中央アジアの文明圏に属しています。中国の一部に組み込まれるべき地域ではないので、「東トルキスタン」と呼ばれるのが正しい。でも、その名を口にすると、たちまち拘束されてしまう。

楊逸　強制収容所の中での拷問、虐待、レイプ、暴行、中絶の強要、薬物使用、臓器狩り、そして文化的ジェノサイドなどの模様が、生々しく描かれています。私は読んで、涙が止まりませんでした……。

「海外にいたウイグル人に警察から帰国命令が出て、空港に到着したところで逮捕拘束された。そうして収容される施設の通気口からは異臭がし、隣の土地にはなぜか大きな穴が掘られていたり、巨大な焼却炉が建設されている」

「コンクリートのベッドの小さな部屋をあてがわれました。天井には五つのカメラ」「十六平方メートル（約八・八畳）に二十人が押し込まれ、全員、髪は剃られていました」「トイレはバケツが置かれ、一回二分。それ以上だと罰せられます。そのバケツが空にされるのは一日一回だけ」「何か書くとき以外は一日中拘束されます。眠るときもずっとです。そして必ず右を下にして寝なければならず、寝返りを打つと罰せられます」

読むに堪えない、こんなむごい実話が、延々と繰り広げられていきます。なんとか最後まで読み通すことができたのは、漫画本だったおかげです。

漢民族の私から見れば、ウイグル人は、顔つきからして違います。無理に一緒だと言うのは内心、違和感がある。強引に〝同じ国〟にしなくてもいいのに、と思います。いや、〝同じ国〟にしたいのではなく、国を奪ってしまいたいということでしょうけれど。

それに比べ、モンゴル人の風貌はあまり変わらないですから、中国人にとって身内のような感じがしますよ。モンゴル人は清朝の蒙古族と共同で南下した民族で、清王朝の王権が認められていましたしね。

楊海英　満洲人とモンゴル人は、いちおう支配階級にいましたね。

櫻井　清朝の満洲人とモンゴル人を見ていると、「徳知」という言葉が印象に残ります。満洲族の王朝であるにもかかわらず、満洲人が漢民族に同化していくことによって、平和裡に治めるという構図ですね。実質的には漢民族の支配で、その価値観がじわじわと浸透していった。満洲族化するのではなく、漢民族化していったと見てよいのですか？

楊海英　いいえ、そこは逆です。よく中国の人たちが、「自分たちの文化がすぐれているから、モンゴル人も満洲人も、しばらくしたら同化し、中華化していきました」と語りますが、実は満洲人とモンゴル人は漢民族に同化していないのです。言葉は共通語になっていくけど、満洲人は最後まで自分たちは満洲人だという意識を放棄していません。

櫻井　なるほど。

楊海英　満洲人は支配者としていろいろなところに駐屯していて、三百年の間、住み分けが守られていました。満洲人が住む「満城」、漢人が住む「漢城」に区分けされ、決して現地の人々とは融合しない。満洲人としてのプライドを保っていた。

言語の問題を例にとってみても、習近平は「みなさん、北京語をしゃべりなさい。これが中華民族の一番すぐれた言語だよ」と言うんです。「そうじゃない人は勉強しなさい」って。でも北京語は本来、漢民族の言葉ではありません。あれは〝ピジン語〟なんです。ピジン語というのは、現地語を話す現地人と、現地語を話せない外国人などとの間で意思の疎通をはかるために、互換性のある単語で構成された言葉です。共通言語をもたない集団同士がコミュニケーションするための便利な手段です。

つまり北京語は、満洲人が三百年間、中国を支配している間に、満洲人が、被支配者の漢民族と話すためにつくった言葉。漢民族にもいろんな地域の人がいて、北京人だけでなく、広東人、上海人たちともしゃべるときには、共通語が必要です。それが北京語で、いわゆる「官話」なんです。

英語に「マンダリン」という言葉がありますね。意味は「満大人《まんたいじん》」です。満洲人が一番偉いので「満洲の大人《たいじん》の言葉」が頂点。そのマンダリンがいろんな地域の人の言葉と交わって共通語になっていくんです。三百年間かけて、ゆっくりゆっくりつくられてきた官話です。でも官話にもいろいろあって、北京官話、上海官話、広東官話があったのですが、ピジン化して、誰にでも通じるようになっていく。それが中国の言葉の基礎。でもこれは一九一二年以降の話で、長い歴史を持つものではない。

だから習近平が、「北京語がわが民族の言葉」と言うのは、あまりにも無知であることの証明です。これは満洲族がつくったピジン語なんですよ。

櫻井　とても勉強になりました。マンダリンが「満大人」だとは気がつかなかった。満洲人が中国化したのではない。モンゴル人も中国化するのを拒否してきた。そうした事実をもっとはっきり、私の意識の中に植えつけていきたいと思います。北京語、つまりマンダリンは、満洲人がつくった公用語だったということを。

楊海英　本来、漢民族といろんな地域の人たちとの間では、言葉が通じないんです。たとえば広東人と上海人の間では、イタリア語とフランス語以上に通じない。文法からして違うので、話し言葉は通じない。でも、漢籍で書くと通じるんです。したがって、ピジン語である北京語は通じる。つまり、皆に通じるように優しくした言葉なのに、それが「中華人民の偉大な共通語」というのは、自らの無知を露呈したものと言わざるを得ませんね。

便宜上、言葉はピジン語化せざるをえないけれど、生活スタイルやプライドは別物。それが満洲人のアイデンティティなんです。

一九一二年に清朝が倒れる契機になった武昌蜂起のあと、各地で支配者階級であった満洲人が漢民族から攻撃され、大量の虐殺が起こっているのです。真に「同化」していたのなら、こんな事態は起こらなかったはずです。それをアメリカの宣教師たちが目撃して書き残していますが、これは日本の清朝史研究でもあまり手がつけられていない空白部分。もちろん、中国はそんな研究をしようとはしません。

たとえば西安の満城が漢民族に襲撃されたとき、漢民族の人が立ち上がって「革命だ、革命だ、満人を殺すんだ」と叫びながら、満城に入ってきた。そしてそこで遊んでいた子どもに刀を向けたが、すぐに死ななかった。もう一度斬ってもまだ死なない。だけど三度目の刀は振り下ろさなかった。「こんなのは革命ではない、俺は何をやっているんだ」と嘆いた漢人もいたと、アメリカの宣教師が書いています。私の故郷・モンゴルのフフホトでも、激しい満洲人襲撃が繰り広げられたようです。

「満族の血には、親しみを感じます」

楊逸　実は私は、四分の一が満洲人です。母親の母親、祖母が満族出身。

櫻井　当時は、どこに住んでいたのですか？

楊逸　祖母の家は中国東北部の黒竜江省牡丹江《ぼたんこう》。満洲八旗の伝統を受け継ぐ貴族の出身らしいのです。その祖母の叔母、祖母の父の妹に当たる人が皇帝のお妃に選ばれて、後宮に入ることになった。でも、しょせん田舎育ちの娘です。初めて皇帝に謁見する日、大変緊張したせいもあって、紫禁城の宮殿に上がったときに、高い敷居を踏み越えられず、それを踏んでしまったのです。それのために冷宮に入れられ、そこで一生孤独に過ごしたそうです。

楊海英　モンゴルも同じです、敷居を踏むのは御法度です。いま楊逸さんがいった旗人というのは、日本の江戸時代でいう「旗本」、満洲の支配階級ですね。清の始祖・ヌルハチが、満洲人の前身、女真族を統一する中で、女真族固有の社会組織を「旗」と呼ばれる軍事集団として「八旗」に編成したものですね。

楊逸　それが「満洲八旗」？

楊海英　「八旗」には三種類があって、「満洲八旗」「蒙古八旗」「漢軍八旗」です。「満洲八旗」は満洲人の一級貴人。「蒙古八旗」はモンゴル人の支配階級。そして、漢人で清朝が立つ前から一緒にがんばっていた人たちが「漢軍八旗」です。中でも満洲人が第一等の貴人。この貴人が清朝崩壊の際、大変な迫害を受けるんですよ。

楊逸 祖母の話だけは伝わっています。すごい美人だったらしいですよ(笑)。

現地のことは現地にまかせた満洲人皇帝

楊海英 ウイグルに話を戻すと、清朝の最盛期、第六代乾隆帝の時代に、清朝が東トルキスタンを征服して、イスラム教徒が反乱を起こします。反乱は鎮圧されましたが、時代が下った一八六〇年代後半、湖南省の左宗棠《さそうとう》が新疆を占領した際、また同じような反乱が起きる。そこで「ウイグル人は野蛮人だから、こいつらを同化させるために儒教を教えろ」と儒教と漢文を教えようとしたのですが、まったくうまくいかない。さすがに清朝は、「あ、これはまずい」とすぐに悟って、ウイグルのことはウイグル人にまかせると方針を転換したのです。「名目として清朝の支配を受け入れればいい」と元に戻してしまうのです。慧眼です。満洲皇帝の辺境支配の巧みさですね。

ちなみに彼は清朝末期の著名な大臣で、太平天国の乱の鎮圧に活躍し「洋務派官僚」としても有名な人です。中国では「清代最後の大黒柱」と高い評価を受けた人ですが、彼が言うように、現地のことは現地にまかせるのがいいんです。モンゴルのことはモンゴル人にまかせて、清朝の権威を認めて税金を払えばいいという方策が、領国経営成功の秘訣。中国東北部はまさに清朝のホームグラウンドで、昔からの貴族「漢軍八旗」以外の漢民族は入れない。こういうふうに清朝のやり方で行くのが、上手な統治の仕方なのです。

櫻井　しかし、そうした民族尊重の政策を、中華人民共和国は踏襲しなかった。

楊海英　一九一二年に中華民国が成立し、四九年の中華人民共和国建国まで、新疆ウイグルには、漢族は基本的に軍人と商売人と、流れてきた難民の合計二十八万人しかいませんでした。しかし、中華人民共和国になると屯田兵を一気に増やして、人口比を逆転させていくわけです。オアシスに住んでいたウイグル人を追い出して、「新疆生産建設兵団」という屯田兵をそこに住まわせ、移民してきた漢人がオアシスを占領する。これは準軍隊組織で、政府から新式の武器も支給されています。水をめぐってウイグル人と漢族の間で衝突が起きると、漢人は最新式の武器でウイグル人を攻撃します。

しかも男の軍人ばかりなので、農村から漢人の娘さんたちをだまして連れてくる。「人民解放軍に入隊しませんか」と声をかけると、漢人の娘さんたちはよろこんでやってくる。

そして新疆に来た彼女たちを、「あなたは彼と、あなたはこちらの人と結婚してください」と配分するんです。嘘だと思われそうですが、ちゃんと中国政府公認の本に書かれています。あるいは一九四五年の対日戦争終結後は、北京、上海、山東省などから性風俗に従事する女性たちを何十万人と新疆に派遣し、「思想改造」と称して、軍人たちと結婚させる方法までとっています。

櫻井　そんなことなら、日本の慰安婦問題を批判する資格は、彼らには、まったくないですね。

楊海英　これも政府公認の書籍に記述されていることです。もちろん、いくら性風俗従事者とはいえ、人間なんですから、「この人と結婚したくない」という場合もあります。絶望して死を選ぶ人、発狂した人も数少なくない。私は新疆で、その当事者から話を聞いています。

ウイグル人は中国核実験の犠牲者か

櫻井　そうした形で強引にウイグル人を追い出していった歴史がいまも続いているわけですね。でもなぜ、漢民族と中国共産党は、それほどまでにオアシスに固執するのですか？

楊海英　これは日本の人もあまり知らないのですが、新疆の属する中央アジアは、灌漑技術を筆頭に、農耕技術がとても発達しているからです。中国の農耕技術の数段上を行っています。科学技術史から見たら、人類は西から、つまり文化は西から東に来ているから、オアシスの農耕技術は西の中央アジアのほうが高い。これは国際学会の常識なのです。

中国を代表する大河は黄河と揚子江ですが、この両河川は始終氾濫を繰り返しています。大規模な氾濫のたびに政権が転覆するので、技術や政策が継承されず、農民は落ち着いて技術改良に励めない。いまでも中国の農村では、牛とロバで農耕をしている土地がたくさんあります。決して頭が悪いわけではなく、とても貧しいので技術革新する余裕がないのです。

それに比べ、中央アジアは技術レベルが高く、小麦、ザクロ、メロン、ウリ、リンゴなどは、すべて中央アジアが原産地。だから中国にとっては、農耕のレベルが高く、豊かな土地であるオアシスは喉から手が出るほど欲しいのです。現地の新疆科学院の研究者は、「ここは我が国の宝だ」とまで言います。「だってウイグル人たちの平均寿命は高いでしょう」というのがその理由。つまりオアシスで暮らしていれば長生きできる。確かにウイグル人には七十代はもちろん、八十代の人も多い。彼らは乾燥フルーツを食べていますし、ウリ類や果物も豊富。穀物の品質もよく、その結果、ウイグル人の平均寿命は漢族より高い。「だから漢族がここを占領して移住させ、漢族の寿命を延ばさなければならない」とは、新疆科学院の理科系研究者が私に語った言葉です。

櫻井　そんな素晴らしい場所なのに、中国はそこで核実験を繰り返していますね。

楊海英　中国は原爆製造に成功し、前の東京オリンピックの年、一九六四年に新疆ウイグル自治区の住民にはまったく知らせずに、四十五回も核実験を行いました。私はその年に生まれたのですが、片や原爆実験、片や東京オリンピック……この二つの国のあまりの違いように、後に物心ついたとき、大きなショックを受けたものです。

核実験の場所は、中央アジアのタリム盆地、タクラマカン砂漠の北東部。スウエーデンの探検家・ヘディンが発見した「さまよえる湖」ロプノール湖のそばで、古代楼蘭王国が栄えたところ。私は九二年の調査のとき、この付近を車で通りましたが、「楼蘭ってロマンチックな場所だから、ここで昼食にしよう」と申し出たら、彼らは「とんでもない」と強硬に拒絶する。仕方なく、急いで通り抜けました。

楊逸　私は、そこで食事をしましたよ。

楊海英　ええ〜、びっくりです。私も食べたかったのですが、核実験場なので「核汚染がひどくて白血病になる。俺たちの髪の毛抜けたらどうすんだ」というので、無理を通せなかった。「でもウイグル人が住んでいるじゃないか」と言ったら、「あいつらはいいんだ」というんです。汚染はみんな知っていながら、ウイグル人は平気で住まわせておいて、自分たちは行こうとしない。これ、現地で体験した話です。

櫻井　このことについては、日本も非常に深い関係があるのです。二〇〇九年三月に日本ウイグル協会主催のシンポジウムが開かれ、「シルクロードにおける中国の核実験と日本の役割」が論じられました。いま楊海英さんが話されたことについて、ウイグル人医師のアニワル・トフティ氏や、元東北大学教授で、いま札幌大学に移られた高田純さんらが語ってくれました。

アニワル・トフティさんが語るには、あの地域に病院があって、入院患者の多くがウイグル人でした。勤務している漢人のメディカルドクターがいうには「ウイグル人は頑健で強いというイメージがあったのに、ここに入ってるウイグル人はみんな弱く、次々死んでいく」そうなのです。

トフティさんも医師です。そこでいろいろ調べてみたら、ほとんどががんとか、放射能に関係のある病気だった。なんでこんなに多いのか、と疑いを持って情報を集め始めたところ、当局から妙な調査はやめるようにと警告された。そこで彼は身の危険を感じて国外に脱出し、イギリスに亡命したのです。

それとまったく同じではないですか。そんなところで食事したらだめということを、現地の人は知っているんですが、何も知らない日本人が行って、長期間、撮影をしたりしたのです。

楊海英　核実験は、ウイグルや青海省というチベット地域、内モンゴルの西でやられている。でも漢民族の多いところでは、核実験は一度も行われていない。

櫻井　中国が、いわゆるシルクロードで行った核実験は延べ四十六回。高田純さんはそれに百万人以上の死傷者、被曝者が出ているはずだと推論しています。中国共産党は自分たちに被害が及ばないように、核実験をする日を決めていました。風が北京に向かって吹かず、反対方向に吹く日に決めていたそうです。中国共産党というのは、本当に邪悪な組織です。

なぜイスラム諸国はウイグルを支援しないのか

楊逸　ウイグルの人たちは本来、頑健で長生きだっておっしゃいましたが、彼らはお酒は飲まないですよね。

楊海英　お酒は飲まない、たばこも吸わない、だからみんな健康なんです。ウイグルのオアシスは水質汚染もない。きれいな水を飲んで、果物を食べて、たばこも酒もやらないから、みんな内臓が丈夫なんです。だから臓器移植に狙われる。

では、臓器はどこに売られているかというと、イスラム教徒ですから、いろんなルートがあるらしいんです。それは「ハラール臓器」と呼ばれていて、サウジアラビアや湾岸諸国、石油産出国のお金持ち目当てに輸出される。もうひとつは中国の高官たち向け。

いま、ウイグル人がこれほど弾圧されているのに、イスラム諸国が声を上げないのは、彼らも独裁政権だということもありますが、ハラール移植で潤っているからという話もあるんです。しかるべき報道もあります。

櫻井　本当に心の痛む話です。それにしても、同じ宗教を信ずる仲間として、イスラム諸国や中央アジアの国々は、ウイグル人をあまり支援しようとはしないですね。ウイグルの民族弾圧に対して、もっと声を上げていいはずです。ウイグルは本来、東トルキスタンですから、民族的にはトルコと同じですね。トルコは最近になってようやく「不快感を表明」しましたが……。

楊海英　中央アジア諸国の場合、新疆ウイグル自治区に隣接するのはカザフスタン、キルギスタン、タジキスタンの三カ国ですが、これらは中国から経済支援を受けているので、見て見ぬふりをしているのです。一九九六年に中国とロシア、そしてこの三カ国の計五カ国による「上海協力機構（上海ファイブ体制）」を結成し、中国からの経済支援と引き換えに、ウイグル人の分離独立運動に介入しないと約束しているのです。中国はカネの力で、同じ文明の民族を分断しているのです。

櫻井　中央アジアも、イスラム諸国も声を出さないのは、そういう事情があったからですか。中央アジア諸国の立場は微妙で、中国とロシアに挟まれ、地政学の中でカネと武力による中ロ支配の中に立たされていることは、かねてより指摘されてきました。中ロの支配は年々強くなっていると見なければなりません。すべての民族にとって不幸のタネが撒かれ続けているわけです。

「中華民族」という民族は存在しない

楊海英　ところで櫻井さんは「中華民族」という言葉を使っておられますが、そもそも「中華民族」というのは、過去も現在も未来も存在しません。「中華民族」というのは、単なる政治的なスローガンでしかなく、ウイグル、モンゴル、チベットなど少数民族の立場からすれば、フィクションに過ぎないのです。そこには「中国に存在する民族全体が〝同化〟して一つの民族を構成している」というプロパガンダが含まれています。でも実態は漢族が少数民族の地を侵食し、彼らを迫害し、民族を「浄化」しようとしている。それを覆い隠すために使われるのが「中華民族」というスローガンなのです。

つまり、実態のない民族像を無理やりつくりあげようとしているから、そこにひずみが生まれてくるのです。その結果、国内の十数億の人々に対して、過酷で反人道的、反人類的な仕打ちを強制するので、問題が起こっているわけです。人類がいわば、現代中国を抱え込んだ以上、非常に危機的な状況にあると認識しています。

楊逸　同感です。「中華帝国」と「中華民族」というふたつの言葉がありますが、私が思うに「中華帝国」というのはおそらく清朝まではその言葉が当てはまった。しかしいまは、外国から入ってきた共産主義と伝統的な中国の王民思想がひとつに混ざって〝怪物化〟してしまっています。一口に「中華民族」と言いますが、その階層は両極端で、皇帝、貴族たちの支配階級と、一般庶民の被支配階級に見事に分化しています。その結果、「権力がすべて」というのが中国の伝統的な考え方になっていますが、共産党政権になって、それがますますエスカレートしてきた。

その一方で、冷戦後にグローバリズムが広がった結果、私たちのような留学生や移民が海外に出るようになってきた。中でも、一番いい大学に進んだエリートたちが、海外から技術を盗んだりしています。

さきほど楊海英さんがおっしゃった「現代のサイエンス」や「技術」を手にした人たちが、法治意識や倫理観をどれくらい持っているかが問題なのです。

前にレーガン大統領の暗殺未遂事件が起きたとき、アメリカで「銃規制」が議論になったことがあります。そのときレーガン大統領は、「人を殺すのは銃ではなく人間だ」と語りましたが、誰が銃を手にするかなんですね。技術開発にしろワクチンにしろ、悪人が手にすると、人類全体が脅かされる。いまはその分岐点に差し掛かっている。それほどの危機感を覚えたのは、私の人生で初めての体験です。普通は自分の身に迫ってくるまでは気づかないものなのですが、昨年の香港問題を目の当たりにして、一時、うつ状態にまでなりました。いまはだいぶ持ち直して「声を上げなければ」と痛切に感じています。

「自治区」という呼称に騙されるな

櫻井　中国には新疆ウイグル自治区、内モンゴル自治区、寧夏《ねいか》回族自治区、チベット自治区、広西チワン族自治区の五つがありますね。それぞれ「自治区」という名称になっているから、それなりの自治が行われているとばかり思っている人は少なくないのかもしれません。「自治」という言葉がくせ者で、〝信じやすい〟日本人はそれを誤解しやすい。そこに住んでいる各民族中心の地方政府だと勘違いするかもしれませんが、実態は自治とはほど遠い。

楊海英　そのほかに自治州と県があります。しかし「自治区」はいずれも、政治的な自治ではありません。すべて「文化自治」に過ぎないのです。地域における文化的な自治は認める。これは憲法でも定められています。でも政治的自治はない。

それがどういうふうに現れているかといえば、共産党支配の中国ですが、「党の書記は必ず漢人でなければならない」と定められているのです。現場の行政職は現地出身の人でもOK。ただしいまはそれも減ってきています。つまり、実権を握っている党と軍のトップは必ず漢族なのです。それまではモンゴルでもウイグルでも、相応の自治はありました。特に分離独立をする気もなく、緩やかな自治体制にあったのです。しかし共産党が来てからは、従来の中国のどの王朝よりもひどい統治体系になってしまった。中国共産党はすべての村にまで党支部を置いていて、村長は必ず共産党員でなければならないのです。

早稲田大学は中国人留学生に乗っ取られる

櫻井　一番下の単位の村まで、村長は共産党員。その上はもちろん、そうですね？

楊海英　もちろん党員です。企業もすべて党の支部。外国にある中国企業も同じで、やがて海外の華人団体も、そうしなければならなくなってくるでしょう。そのためにいま、やたらと留学生工作を展開しています。

日本でもその動きが盛んです。いま早稲田大学に中国人学生が二千五百人いるそうなのですが、その中に支部書記をつくろうとする動きがあると、早稲田大学にいる私の親しい人が語っています。彼はリベラルな左翼なのですが、「いまもっとも頭が痛いのは二千五百人の中国人留学生の問題です」と手紙が来ました。これが大きな政治勢力になっていて、中国大使館が、そこに「支部書記」をつくろうとしているそうなのです。

櫻井 支部書記というのは？

楊海英 共産党の党書記というか、党の細胞のことですね。早稲田大学の某教授が慰安婦問題について「別の角度からの見方もあるのでは？」と多角的な論議を提唱したら、途端に中国人留学生がデモを展開し、「反動教授、断罪」と声を挙げたりしました。

櫻井 オーストラリアと同じことが日本でも起きている。これは大変なことです。クライブ・ハミルトンはその著書『サイレント・インベージョン～オーストラリアにおける中国の影響（静かなる侵略）～』で、オーストラリアの政界や市民社会が中国に〝侵食〟されている実態を、およそすべて実名で書きました。オーストラリアほぼ全体がいかに深く中国共産党に侵食されているかを知って、背筋が寒くなります。中国共産党がオーストラリアで自国の諜報網や影響力を拡大させるためにどれほどの工作をしてきたか、他人事だと思ってはなりません。ハミルトン氏は、最初に出版しようとしていた会社が「北京政府や北京の息がかかったオーストラリアの代理人から標的にされる恐れがある」と懸念を示し、土壇場になって出版を断られました。結局、他の出版社が発行してくれましたが、中国の妨害工作があったわけです。世界中で中国共産党は、同じことをしています。

中国の妨害工作は書籍の出版にとどまりません。政治的、経済的分野では、もっと激しいことが行われています。一例として、オーストラリアの大学がチベット亡命政権のロブサン・センゲ首相を招いたら、中国人学生たちが会場を占拠して大声で抗議した。結局、センゲ首相は会場にも入れませんでした。こういう事態を予期していた大学側が第二会場を用意していたので、急遽、そちらで講演会を開いたそうです。また、名門、シドニー大学のある講師が授業で使った世界地図が大問題になったこともあります。インド、ブータン、中国三カ国の係争地が、その地図ではインド版の解釈で描かれていたのです。これを見た中国人留学生たちは、抗議のために教室から出ていき、「オーストラリアの赤いスカーフ」と自称して抗議キャンペーンを張り、講師を謝罪に追い込んだのです。大学も右に習えで、中国人留学生に屈してしまいました。

中国政府の手先「孔子学院」の実態解明を

楊海英　日本でも各地の大学に「孔子学院」があります。これは表向き、「中国語や中国文化の普及」ということになっていますが、実際中国共産党の影響力を高めるために設置された機関です。資金は中国共産党中央宣伝部から出ていると言われていますね。

櫻井　完全に中国の息がかかっているとみてよいでしょう。それに加え、楊海英さんが指摘された早稲田大学の二千五百人の中国人留学生の問題もあります。学問や研究分野での国際交流はとても大事なことで、大いに進めるのがよいとは思っています。しかしそれが、中国共産党の指示によって政治的になると、その悪影響は無視できません。

ハミルトン氏の著作によると、オーストラリアの著名な中国研究家で、オーストラリア人文学学会会長のジョン・フィッツジェラルドという人が「中国共産党と中国全土の大学関係者たちは戦争に従軍していると認識している」と指摘しています。〝自由で開放的な学問・研究に対する戦争〟だそうです。習近平国家主席は二〇一六年の演説で、大学教育の中心にイデオロギー工作と政治工作を組み込むことの重要性を語っています。中国人留学生たちは、このような使命を心に刻んでいると見るべきでしょう。

しかも彼らは、授業料を全額前払いする。大学にとって経済的に中国人留学生に依存する要素は無視できない。

楊海英　しかも孔子学院は中国から教授も派遣してくれて、その給与は中国側が支払い、教材も用意してくれる。大学は場所を貸すだけで、学生から授業料を取れる。費用も手間もかからない。

櫻井　でも、安易な方法に流れてしまったら、取り返しがつきません。ですからアメリカでは、孔子学院を政治宣伝・プロパガンダの本拠地と認定して、各大学に「二〇二一年の末までにすべてを閉鎖することを期待する」と、ポンペオ前国務長官が語りました。また各大学の各教授の研究プロジェクトに、どれだけの中国資金が入っているかを報告させることにした。「情報公開」の力を活用することで、アメリカの知的空間に対する中国マネーの侵略工作に歯止めをかけようとしたわけです。

楊海英　ただ民主党のバイデン政権が、それを密かに撤回してしまったという報道もあります。バイデン政権も中国には強硬姿勢をとりそうですが、この問題はどうなるのでしょうね？

楊逸　それに比べ、日本の孔子学院に対しては、日本政府は何の働きかけもしませんね。

櫻井　バイデン政権は撤回というより、再審査をしていると見てよいと思います。結論は現時点（二〇二一年四月二十日）では不明ですが、アメリカ世論の強い反中感情を考えれば、簡単に、再び孔子学院を受け入れるのは難しいかもしれませんね。でも確かなことは、私たち日本人こそ警戒しなければいけないということです。日本でも中国からどれだけ資金が流れ込んでいるか、早急に情報公開を義務づける必要があります。早稲田大学は私学ですが、日本を代表する大学です。中国人留学生、中国共産党に牛耳られてよいのかと厳しく問うていく必要があります。そして、国立大学法人である東京大学にも、中国人留学生がたくさんいる。こちらも厳密に見ていくことが大切だと思います。

楊逸　東京大学の理系の研究者は、中国人のほうが多いという説もあります。

楊海英　実は、東京大学でもZOOMを会議に使うかどうかで紛糾しています。発端はアメリカですが、「天安門問題」について討論する会議があったのですが、そのZOOMのIDを中国政府が発行していることがわかった。「これでは正当な議論がはかれない」と、当日になって会議が中止されました。その情報を我々が知ってから、ZOOMの技術は中国が握っているから使用を控えようということになりました。特に東大の中国史研究者たちの中には、中国の問題を指摘する向きが増えたので、文研ではZOOMの使用を中止する傾向が広がっています。でも理科系の人たちは、便利だからと譲らないでいます。

櫻井　情報が中国に筒抜けになる。そのことに危機を感じないでどうするのか、そう思います。

楊海英　私がツイッターやフェイスブックで問題にしたのは、その話です。北海道の室蘭工業大学の副学長は、福建省出身の三十代前半の中国人です。東大で博士号を取得しました。専門は顔認証技術なのですが、彼のところに漢人の博士課程の学生が複数いて、その学生たちが全員、福建省の監視カメラ製造会社に就職しているそうです。そこの監視カメラが中国全土に配備されているのですから、危険性は明らかですよね。

櫻井　ひどいですね、完全に技術が盗まれているのにとどまらず、日本の技術がジョージ・オーウェルの有名なＳＦ小説『１９８４年』のような監視社会をつくらせている。

楊海英　室蘭工業大学の例だけではないと思いますが、大学で研究された顔認証技術の成果が中国全土に展開されて、中国人、モンゴル人、ウイグル人の監視に使われているんです。決して彼個人を攻撃しているわけではないのですが、こういうシステムができていることが問題なのです。

私のいる静岡大学の場合でも、日本有数の工業都市の浜松にある工学部は、名古屋大学工学部と一緒に数年前にノーベル賞受賞者が出たほどレベルが高い。その工学部の博士課程は八割以上が中国人留学生です。工学部の学生には月に十数万円から二十数万円、日本から奨学金が支給されます。僕のように苦学生だった身からすれば、とても羨ましく思います。しかも、理科系の博士課程では全額授業料免除です。彼らが全員スパイだとは思いませんが、ともかく無防備なのは確かですね。

櫻井　全員がそうだとは思いませんが、日本に留学している中国人学生の中に、要注意人物が少なくないことは確かです。日本国政府は、きちんと調査をして対策を立てる必要があります。しかも、それを早急に行うべきだと思います。

第三章

日本国内で暗躍する中国工作員

世界はいま中国支配か否かの岐路にある

櫻井　ウイグル人問題をはじめ、南モンゴル、チベット、香港など、中国に虐げられている人々の苦しみは深まっています。中国の人権侵害はますますひどくなり、国際社会に対する中国政府の姿勢はより強く、より横暴になっています。

私たち人類はいま、岐路に立っている。人類を信じる世界をつくるのか、信じないで独裁者が決める世界をつくるのか、その岐路です。

楊海英　それぞれの人の性格が違って、みんなが違う人生を歩むように、それぞれの民族には民族の歴史と文化があります。民族ごとにそれぞれが誇る価値観で暮らす大勢の人たちがこの地球にいるわけですね。民族の特性を楽しめる人生を皆が歩めるような世界にするための基本的なルールをつくりましょう、というのが世界共通の価値観ですよね。

櫻井　それを法制化したのが国際法です。近代国家であれば、国際法は基本的に守らなければなりません。国際法は国際社会の常識を反映させたものでもあります。例えば人間の責務として、強い人は弱い人を守る、弱者を包容して受け入れていくという価値観がなければならないし、そうした精神が尊重される土壌がなければならない。これは、私たちが戦後、当然だと思っていた価値観です。

楊海英　しかしそれを信じる民主主義陣営の国々と、それをないがしろにする国がある。後者の典型が中国です。

櫻井　中国はどう見ても「わが国はもう力をつけたのだから、現在の英米法に基づく国際社会の秩序などは、中華帝国の法律によって変えていく権利があるんだ。力を持つものが支配するのは当たり前なんだ」という〝帝国主義的〟思想に走っているように思えてなりません。

現在の社会は、この二つの勢力のせめぎ合いのまっただ中にあって、私はこれからの二年弱、ないし一年半が勝負の時期だと思います。なぜ二年弱か。バイデン大統領が誕生して、二年後には中間選挙があります。それまでの間に、アメリカは大きく揺らいでしまった冷戦後社会の基盤を立て直せるのか。これ以上、中国に邪魔されない強靭さを取り戻し、中国に対抗する戦略を打ち立て、実行できるか、その分かれ道です。

これができなかったら、世界中が「悪の中華帝国」の世になりかねない。

楊海英　そうなったら、この鼎談をしている私たち三人全員は縛り首になるかもしれませんね（笑）。

櫻井　そうなるかもしれませんね。冗談ではなく、それほどの危機感を持つべき時なのです。私はこれまで、「なぜ中国はこれほどまでに嘘をつき続けるのか？」と考え続けてきました。「こんなに理不尽なことばかり、なぜ押し通そうとするのか」と。日本人の常識では信じられないようなことばかりです。

でも、ようやくわかり始めたのは、「なぜ、と考えること自体が間違いなんだ」ということです。中国人というのはそういう人たちだと考えるほうがよいのではないかということです。中国の歴史を見ると、常に力の強い者が支配して、少しでも弱い者はいつも切り捨てられている。むろん、人類の歴史は力の強いものが支配する歴史でありますが、中国での弱い者に対する仕打ちの残虐さは、群を抜いています。その非情な歴史の「原点」を理解しないことには、中国という国は理解できない。

日本人は聖徳太子の時代から「和をもって尊しとなす」の「十七条の憲法」に象徴されるように、心優しい民族だと言ってよいと思います。そこに日中の根本的な違いがあるために、日本人は「中国人はなぜこんなに嘘ばかりつくのか」「なぜこんなに酷いことをするのか」という疑問を解くことが、どうしてもできなかった。しかし、中国人は、そういう苛酷な歴史の中で生き残ってきたのであって、それが彼らにとって当たり前なんだということを認識しないと、とんでもないことになる……そういうふうに感じ始めました。

科学を手にした「倫理なき中国」の恐さ

楊海英　櫻井さんのご意見に賛成です。いままさに人類は大きな転換点にさしかかっていると認識しています。それは、いま我々が置かれている武漢発の新型コロナウイルスによる肺炎のパンデミック状態が、まさにそれを証明している。人類誕生から現在まで、ホモ・サピエンスの歴史は二十数万年とされていますが、その中でウイルスや疫病との戦いを何度も繰り返してきました。でも今回の大流行には奇妙な現象が見られます。楊逸さんが著書『わが敵「習近平」』（飛鳥新社）で書いているように、発生の経緯に謎が多い。

楊逸　私は、もしかしたら人類全体をターゲットにした中国の「細菌兵器」なのではないかとさえ、思っています。

楊海英　それさえも考えられますね。現代中国が「科学」という武器を手にして、とんでもない暴走を始めてきた証拠かもしれない。

サイエンスというのは、「倫理・哲学・技術」の三位一体で成り立つものです。人類は科学を手にしてから、絶えず技術の評価と検討をして、それが〝悪魔の技術〟にならないよう歯止めをかけ、自己を束縛しながらサイエンスを発展させてきた。「してもいいこと」「いけないこと」を常に見極めながら技術を磨いてきたのですが、現代中国にはこういう意識が皆無です。かつて極貧にあった状態から、一部の人間が一気に科学という「武器」を手にしてから、一切の倫理や哲学を無視して、本来彼らが持ってた凶暴さをむき出しにしている。その象徴が今回のパンデミックであるように思えます。

楊逸　武漢ウイルスは、中国政府が意図的に流行させたものかどうか、正体は不明ですが、その発生源は「研究所」ではないかという疑いを、私はいまだに持っています。例えばクローン人間を培養させたり、サルに人間の知能を注入して人工知能の動物園を竣工したりする中国人の行動を見ると、それがあながち見当はずれだとも思えない。

楊海英　武漢ウイルスは従来の「人類対疫病の戦い」とは、かなり違っています。それはどこかの集団や民族が偶発的に起こしたものと違って、科学を手にした現代中国の手になるものとしか思えないからです。中国政府は、そんな形であやしい方向へ人類を導こうとし、人類に災禍をもたらそうとしているように思えてならない。

その背景に、どんな手段を使っても、中国が世界を制覇しようとする野望が見え隠れする。国内であらゆる民族の人々を抑圧し、一握りの権力を手中にした人間がのさばっている。それがいま国境を越えて、人工知能や科学を駆使して、全世界を自分たちの言うがままに支配しようとしている……その意味で櫻井先生のご意見に賛成です。

中国批判をした途端、日中双方で嫌がらせが

櫻井　楊逸さんは『我が敵「習近平」』を出版されたあと、いろいろな嫌がらせを受けたそうですね。

楊逸　実は、この本が出版されたら、中国にいる家族や友人が危険な目に遭うかもしれないと心配して、かなり悩んでいました。そこで自ら連絡を絶ったほうがいいと考え、何の説明もせずに「関係者」になりそうな連絡先を全部、ウイーチャットから削除して、「連絡がつかない状態」にしたのです。

櫻井　ご家族は今ハルビンにおられるのですか？　ご心配ですね。

楊逸　しかしこの春節に、脳梗塞で寝たきり状態の父にせめて声を聴かせたいと思い、私

と子どもたちの「新年のあいさつ」を録画して、第三者に頼んで送りました。ですが、さすがに受信拒否されてしまいました。あの本が出てから、すぐに中国安全局からの呼び出しが何度もあってみんなびくびくしているのだと、日本在住の友人が、人伝てで事情を調べてくれたのです。

櫻井　受け取ると危険だから、受け取れないと。

楊逸　私は今年五十六歳、自分の言動に責任を持てる大人なんです。未成年のころから、物事を友人や家族に相談せずに独断でやるという性格で、それが歳を取るとともに、どんどん頑固になっています。私は自分のそんな「反骨精神」についてよくわかっていますから、できるだけ周りの人間に迷惑がかかったりすることがないように、意識的に疎遠にしようと、連絡を絶ったのです。実際ここ二年くらい、日本でのお付き合いも「仕事関係」しか残っていません。

そこで、これまでに私の「家族」とか「友人」関係にあった人たちは、もう私とは何の関係もないことを、この場を借りて公にしておきたいと思っています。

櫻井　ウイグルの人たちの身に降りかかっていることが、実際にあなたのご家族にも起きているわけですか。取り調べだけでなく、拘束、逮捕になる危険性も、もちろんある。近況は本当に厳しいですね。どのように言えばよいのか、とても心が痛みます。

楊逸　私がもし頻繁に連絡していた痕跡が残ると、彼女たちも危ないと思いますが、幸い、いまはまったく連絡を取っていない。そのことが救いです。

櫻井　日本人には、なかなか実感できない。日本人は自分たちは安全圏に住んでいると思っていますから、日本国籍を取得した楊逸さんが日本に住んでいて、いま言われたような不安な状況に置かれていることは、どこか遠い世界のように思えてしまうかもしれません。でも遠い世界のことではないのです。

楊海英　本当にそうです。楊逸さんのご家族の状況もさることながら、私の大学にモンゴル人の留学生が多数いますが、昨年、モンゴルで「母国語の教育を維持しよう」という運動が起きてから、南モンゴルの情勢が一気に悪化しています。そこで私のところにいるモンゴル人の留学生の実家に、片っ端から公安が事情聴取に来ています。

櫻井　中国の公安当局ですか。

楊海英　そうです。家族の家に来て、「息子さん、娘さんの日本の住所を教えてください」「ウィーチャットのＩＤを教えてください」と。そして、誰と連絡しているのかを教えろと要求する。それだけでなく、家族間でウィーチャットで話してたら、急に画面が切り替わって公安が出てくるんですよ。「お前、何やってるんだ、デモに参加したのか」とか。「反動教授としゃべっているのか」なんて訊く。「反動教授」とは私のことです（笑）。日本にいる学生に対しても、そうやって圧力を加えている。実際、私の学生の家族のひとりが、昨年、逮捕されて行方不明になっています。

櫻井　それは中国でのことですか。

楊海英　そうです。日本にいるモンゴル人留学生にも、在日中国大使館と思われるところから電話がかかってきて、「あなたはこの前、東京のデモに参加しましたね。正直に答えなさい」と詰問する。そして「あなたの同級生でこういう研究をしている人がいますね。やめなさいと忠告してください」とすすめる。

櫻井　想像以上の圧力が在日中国大使館からかかっている。彼らはわが国で好き放題に振る舞っている。これは日本国の刑法に違反すると思います。シンクタンクの国家基本問題研究所の高地勝彦氏は、中国大使館の関係者による一連の行為は、刑法二二三条違反、強要罪に当たると指摘しています。

楊海英　本人に言うだけでは足りずに、「あなたからも忠告してあげなさい」と搦め手で攻めて来る。「あなた誰ですか？　中国大使館の方ですか？」と訊いても、もちろん、正体は明かさない。電話番号を調べても正体不明です。

あるいは中国大使館なのかどうかわかりませんが、日本にいるモンゴル人留学生宛てに差出人不明の手紙が来るんですよ。手紙にバーコードがついていて、「ここに連絡しなさい」と書いてある。それにアクセスすると中国大使館にジャンプするのです。そして中国大使館員は、「一度、こちらに来てください」と言う。でも行ったら最後、どうなるかわかりません。明らかに、配達の痕跡が残らない方法をとっています。郵便局はいちいちバーコードを読まないですよ。こんな形で、すべてコントロールされている。

キャンセルされた出版契約

櫻井　彼らはどのようにして在日留学生の住所まで把握しているのですか？

楊海英　不気味ですね。本来、留学生が日本にいる以上は、日本の法律によって守られるべきです。でも中国は治外法権の原則などお構いなしで、魔の手をのばしています。日本にいる学生にも干渉が及んでいる。日本にいる学生たちが何をやろうと、中国から干渉されるの筋合いはないはずなのに、中国は日本で、同じことをしている。たとえば日本の国会議員が中国のこの問題を指摘したら、すぐに程永華大使から手紙が来ます。「これは我が国への内政干渉です」と。

それほどまでに中国は、日本でのさばっている。決して中国にいるご家族だけの話ではなく、海を越えて、世界中の人間に干渉している。通信技術の発達は恐ろしいですね。

櫻井　中国の公安と思われる筋が在日中国人留学生に対して監視活動をしたり、手紙で大使館に来るよう催促するのは、明らかな犯罪です。日本国内では何人《なんぴと》も個人として尊重されます。憲法一二条は「公共福祉に反しない限り、国民は生命、自由、および幸福追求の権利」を保障されています。中国人留学生は日本国民ではありませんが、少なくとも中国大使館は、日本国内で行ったような嫌がらせをすることは許されていない。禁止されているはずです。ただ彼らは日本の法律など重視していないのでしょう。そういう悪事を専門にする工作員も相当日本に潜んでいると考えるべきですね。

楊逸　手口も、それほど明確なメソッドがあるわけではないようですね。私の場合、あの本を出したあと、日本にいる中国人の友人から電話をもらい、強い口調で詰問されました。それまでは何事もなく、普通に付き合っていたのに……。

櫻井　その友人は日本在住の方ですか？

楊逸　そうです。「どんな根拠があって、こういう本を書くの？　あなたにその資格があるの？」と、いきなりまくしたてられ、「あなたは読んだの？」と問いただしたら、「読んではいないけど、新聞広告で見た」と。

櫻井　ちゃんと読んでくれたのならまだしもね。中国大使館の指示でしょうか。

楊逸　在日中国人の、いわゆる文化人や作家たちのグループがあって、彼らがレストランに集まった際、私への批判大会の様相を呈したという。「本が売れていないから、売名行為がしたいんだよ」とか「金のためだよ」などと陰口を叩いていたそうです。プライベートの話でも打ち明ける仲だったのに、彼女との友情とは何だったのかと、ショックで、いろいろ考えさせられました。

櫻井　中国公安や大使館は汚い手口も使うんですね。それにしても彼らは執拗でしょう。

楊逸　それだけでなく、『我が敵「習近平」』出版以降、立て続けに仕事がキャンセルされました。すでに取材が終わった仕事なのに「すいません、あの話はなかったことにしてください」と連絡が来たりして……。掲載できないし、本にもできない。

櫻井　うかがってよければ、媒体はどこですか。

楊逸　紳士協定があるので、それだけは言えないのです。残念ですが。

国会議員にも平気で圧力をかける

櫻井　自民党と民主党の議員が力を合わせて「チベット議員連盟」をつくってチベットのダライ・ラマ一四世法王、あるいはチベット亡命政権のロブカン・センゲ首相をお招きしようとしたときのことです。集まったのは「中国による弾圧をこのまま見過ごしてはいけない」と、チベットの側に立って活動しようという議員たちでした。いま、このチベット議連は超党派で、世界最大の勢力になりました。その立ち上げのときに、議員のみなさんに中国大使館から手紙がきたのです。二〇一二年五月八日付の程永華大使名の手紙です。ひどい内容です。日本国内でチベットとウイグルに関して「後ろ向きの動きが見られ、中日関係の妨げになっている」とも記しています。

ちょうどその時期、野田佳彦首相（当時）が北京を訪れたのですが、温家宝首相が野田氏に、世界ウイグル会議のドルクン・エイサ氏らの日本入国を許したのはけしからんと非難しています。こんな中国側の理不尽な圧力に対して、日本側は国会議員の多くが、かえって怒りを増幅させました。

楊海英　明らかな内政干渉ですよね。

櫻井　そうしたら中国側は議員らの後援会を調べ上げ、メンバーの有力企業に働きかけることまでしたのです。

楊海英　彼らの調査能力はものすごいですからね。

櫻井　さらにすごいことがありました。チベットの方々をお迎えするのには会場が必要です。議員会館内の会場使用とその予約の申請者は国会議員でなければならない規則がありますが、中国側は、申請した国会議員を調べ上げて訪問して、当日の会議室をキャンセルさせようとした。場所がなければ会議は流れると踏んだんでしょうね。誰が議員会館の会議室を申し込んだかまで調べ上げる、そのやり口の執拗さには、びっくりしました。

楊海英　敵ながらあっぱれ、ですね（笑）。私にも、まったく同じことがありました。実は少し前に、衆議院議員会館で南モンゴルを支援する議員の勉強会を開催し、自民党の上野宏史議員と山田宏議員、元総務相の高市早苗さんなど、三十人ぐらいが集まってくれて、「南モンゴル支援議員連盟」を立ち上げようとしているところです。しかし昨年、前述した南モンゴルの言語問題が明るみになって、国会で集会を開いたときに、中国大使館の手が回って、上野議員に「出席するな」と脅しをかけてきたんです。主催者が上野さんで、会場も彼の秘書が予約していることを摑んでいた。

櫻井　大使館員を名乗っていたのですか？

楊海英　明らかに回し者です。とにかく攪乱しようとしている。でも上野議員は動じずに、支援していただいていますが。

櫻井　先日、自民党の古屋圭司さん（衆議院議員）と話をしました。南モンゴル、チベット、ウイグルで議員連盟が存在しますが、この三民族の議連を統合する方向で動いているそうです。超党派の三議連が集まって、中国の弾圧に反対する国会決議をする方針です。国会決議で、日本国民の意思として、中国の人権弾圧に反対していることが明確になります。そして議員立法で、人権弾圧を禁止する法律を制定するという流れです。

楊海英　中国に対抗する動きは、確実に前へと進んでいます。邪魔が入れば入るほど、熱心に戦うことになることを、彼らも学ぶべきだと思いますが（笑）。

スパイ天国日本で中国はやりたい放題

楊逸　それにしても、誰が工作員やスパイなのかなんて、普段はわかりません。ある日突然、あ、この人はそうなんだって気づく。私のまわりでも、ああ、そうだったんだと思うことがたくさんあります。在日華人の「同郷会」のような外郭団体には、そういう人がたくさんいます。

櫻井　彼らの工作の緻密さには感心しますね。「こんなことまでやるんだ」と思うくらい、あらゆる手段を使う。脅しも厭わないし、影響力も行使するけれど、土壇場まで止められないとなったら、国会議員本人に直談判しに来ることさえあります。二〇一二年に、先述のチベット亡命政府のロブサン・センゲ首相を、超党派の議員が議員会館の国際会議室に招いたとき、中国大使館の参事官が、当時、衆議院議院運営委員長だった民主党の小平忠正氏の事務所を訪れて、「会を中止せよ」と命令口調で伝えています。小平氏は「無礼だ」と怒って、「日本は自由の国だ」と反論し、応じませんでしたが、中国は自分たちを「宗主国」とでも考えているのでしょうか。

先ほど、中国のオーストラリア侵略の実態を暴いた『サイレント・インベージョン』を紹介しましたが、この本が当初、中国の働きかけで発行元が出版を断念したという経緯もあるように、政界に対しても言論界に対しても、世界中で中国共産党は、同じようなことをしているわけです。

楊海英　中国の国営出版社、中国は出版社はすべて国営なのですが、彼らは日本にもいくつか出版社を持っています。「中国国営出版社（東京）」という形で、日本の有名出版社の建物に入っている。そこで中国の宣伝工作をしている。例えば、日本の中国研究者を狙って、「あなたの本を出してあげましょう」と働きかける。彼らが書く硬い本は売れないから、一般の出版社は出してくれない。その代わり「もっと中国を褒める内容で書いてくれ」と。事実、私の知り合いも経験しています。中国文学史といった類の若い学者の博士論文などは、ほとんど出版の機会がありませんから、それに「中国の国営出版社（東京）」が目をつけ、「出してあげるから書き直してください」と依頼するんです。

櫻井　実際に書き直したのですか？

楊海英　はい。若い研究者にしてみれば、自分の著作が出版されれば就職しやすくなりますからね。そこで向こうが検閲した通りに直して、それで出版するんですよ。

櫻井　お二方のお話を聞いて、目から鱗です。日本でもそこまで、想像以上の浸透工作が行われている。

楊逸　すごいですよ。

櫻井　警戒心を百倍くらい強めないといけない。『サイレント・インベーション』と、その後にヨーロッパで出版された続編の二冊とも読んで、「日本でもきっと同じようなことが起きるに違いない」と感じていたのですが、すでに起きていたわけですね。オーストラリアは気がつかないうちに崖っぷちまで追い詰められて、ほとんど国を乗っ取られる寸前まででいったわけです。日本も同じコースを辿り始めているということを認識しないととんでもない悲劇になってしまいます。

楊逸　私も家族に危険が迫ってきて、友人からも疎外され、おまけに仕事のキャンセルも相次いでいて、ここ数カ月、これほど不安を覚えた時期はありません。

櫻井　楊逸さんは、どこか外国に移住すると聞いたのですが、それが原因ですか。

楊逸　以前からヨーロッパが好きで、ゆくゆくはと考えていました。でも少しでも早めたい。いつも「逃げなきゃ」という気持ちがあって、このコロナ騒動が収束したら移住しようと考えています。

櫻井　わが国日本は楊逸さんを守り切れていないのですね。

楊逸　日本は気づいていないからだと思います。諸外国の中で、オーストラリアはとてつもない犠牲を払ってノーを突きつけ、アメリカも明確に非難しています。でも日本はなかなかそういう強硬な姿勢を見せられない。それは、対中国ではいろいろな利益が絡んでいるから。地理的にも中国に近いため、他国より浸透の度合いは高いと思っています。

東京は中国工作員の〝縄張り〟

楊海英　海外に南モンゴル人たちの亡命団体がいくつかあるんですが、そのうちのひとつが、二〇〇八年の北京オリンピックのときに本部をドイツから日本に移したのです。そうしたら中国がとてもよろこんだ。「やっとうちの縄張りの中に来てくれた」というわけです。そして日本に拠点を移した瞬間から内部分裂が進んで、機能不全に陥ってしまいました。

アメリカ、ヨーロッパにいった南モンゴルの民主運動の人たちも同じような目に遭っています。ですが、楊逸さんの『時が滲む朝』(文春文庫)にも出てくるように、日本に拠点を移すと、最初から活動しにくい状態に置かれてしまう。そして巧妙な方法で、結局ずたずたに分断されてしまうのです。「東京はわが縄張りの範囲」と、中国は考えているほどです。

楊逸　中国共産党幹部の二世、三世がもっとも好む国は、日本とニュージーランドです。まず安全ですし、政治的環境が中国寄りだから。だから日本には、中国人や中国からの移民が多いのですが、中でも当局者の二世、三世が多い。反対に、中国に敵視される私のような人間は、安全な環境とは言えない。

櫻井　その人たちは日本国籍を取得しているのでしょうね。

楊逸　はい。アメリカなどに行くと詳しく調べられますし、資金の流れを把握されたりするから、日本がもっとも安心できる国だと認識されています。

櫻井　日本では、一旦日本国籍を取ったら、その前の国籍は問われないですしね。正体を隠すのがとても簡単です。調べるにしても、差別に対する配慮もあって及び腰です。

楊逸　協力者も多いんです。政治的分野だけでなく、経済界の協力者もたくさんいる。詳細は隠されていますが。

櫻井　楊逸さん、日本国政府はあなたを守り切ることができていないし、日本では安心して生活できないと感じている。日本語を母国語としないあなたが芥川賞を取った。そんなあなたが日本で不安を感じ、ヨーロッパに移住したいと思うのは、日本人として悲しい話です。

楊逸　日本政府が守ってくれないというのではなく、じわじわと中国の圧力が迫ってくるのを感じます。それこそ「サイレント・インベージョン」。

民主化運動家たちも考えるのは「漢民族だけ」

櫻井　楊海英さんには、日本でどんな具合に南モンゴルの人たちが分断されてきたのか、教えて欲しいのですが、いまひとつ気がついたのはウイグルの人たちの問題です。日本の中のウイグルの人たちの内部分裂、相互の対立、いさかいと中傷合戦にも中国の介入があったと判断してもよいですね。

楊海英　まさにその通り。中国の介入にはいろいろな手口があって、私はふたつ経験しています。ひとつは楊逸さんと同じ経験。八九年に日本に来たとき、中国人の同級生たちが日本で民主化運動を展開していましたが、のちに分裂していく。同級生は熱心に活動を続けましたが、私はちょっと距離を置くようになった。私はモンゴル人ですから、当初からモンゴル人の民族問題と中国の民主化をセットで考えていました。ところが当時の民主化運動をする人たちは、誰ひとりとして少数民族のことを考えていない。いまもそれは変わっていません。だから私は彼らと決別しました。

彼らが考える「民主化」は、とても未熟で現実離れした思想。いわば理想主義の極致。「漢民族の民主化」だけを考えていて、「少数民族問題は二の次」という態度でした。これでは話が通じないと思って決別したわけです。でも友達がいっぱいいるから、その動向を見ていたら、わざと金銭問題を起こしたり、わざと地域間対立を煽って対立するように仕向ける。それから女性スキャンダルを仕掛ける。

櫻井　中国お得意の手口ですね。

楊海英　あるいは、一応、アピールを容認するけれど、中国共産党の意のままに操ろうとする。例えば「東京でデモしてもいいけれど、習近平打倒と叫んではいけない」という具合。「民主化！」と叫ぶくらいは問題ないけど、最終的には「誰がどう行動したか」を逐一チェックして、遠距離でコントロールされた〝民主化運動〟をやらせるのです。

また、ウイグル問題や南モンゴルの問題に対しても、決して一致団結させないように、内紛を煽ったりもします。運動する人の中には、深く考えないというか、軽挙妄動気味の人も少なくないので、それに乗ってしまうんですよ。私もウイグル人が分裂状態になったのを傍から見ていましたし、当事者から話も聞いています。

例えばモンゴル人が東京でデモをする場合、絶対に「独立」と叫んではいけないという規制がかけられている。「中国の憲法を守ろう」とか「中国のモンゴル族」ということを強調します。「モンゴル人」という言葉を使ってはいけない。「中国の蒙古族」と言わされたりします。つまり、コントロールされた中での限られた自由なのです。

櫻井　それでは、アピール効果も減殺《げんさい》されてしまいます。

楊海英　そんな具合に上手に工作して、運動そのものを形骸化させていく。それは日本人にも及んでいて、例えば「日中友好」を叫ぶ人たちを数多く育てて、尖閣諸島に武器を積んだ中国海警局の船が押し寄せているのに、「武器」ではなくわざわざ「武器らしきもの」と書かせるとか……。

櫻井　海警局が日本の海上保安庁と同じような組織だと思わせように仕向けている。明らかに「第二の海軍」なのに。

「日中友好」は中国を利するだけ

楊海英　「日中友好」という標語も曲者です。彼らの立場からは「中日友好」ですが、これは「異を残して無理やりに同を求める」（求同存異）という強引な手法での友好構築。その場合の「同」とは、「中国と無条件に仲良くしなさい」という意味。つまり暗に「中国という国に同化しなさい」という魂胆が秘められています。

櫻井　しかし日本人は、「ともかく仲良く」と国家間の友情のように考えている人が多いですよね。

楊海英　こんな場合、「小異を捨てて大同につく」と日本人はよく言いますよね。「大同につくことが小異を上回る利を生む道」という発想からだと思いますが、中国相手にこんな〝脳天気〟な考え方をしていると、永遠に「小異」を捨て続けざるを得なくなります。

しかも、無原則に中国をパートナーにしたいという姿勢は、中国が抱える民族問題から目を背け、タブー視することにつながります。「中日友好」と同じ思惑で語られる言葉に「民族団結」がありますが、この場合も、「漢族以外の民族は、最大の支配者である漢族と無条件で仲良くしなさい」という意味が込められています。少しでも自己主張をしたら、たちまち「団結を破壊した」と因縁をつけられ、逮捕、処刑が待っているというのが実態なのです。

櫻井　中国側からいえば「中日友好」ですが、それも、そして「民族団結」も、漢民族の利益最優先の上に成り立っていることを忘れてはいけないということです。

楊海英　ですから私の場合は堂々と「反中国」の立場を鮮明にしています。言論界も出版社も、「反中」を警戒するところは多いですが、そこでたとえ「これ、反中でしょう」と言われたとしたら、「反中であってはいけないのですか」と反論しますね。

櫻井　反米は誰も気にしないのに、なぜ反中にだけ神経質になるのでしょうね。

楊海英　思想家、識者、評論家の中で、中国に好意的な人物かどうか、敵か味方かを常にカウントしているんです。中国共産党の統一戦線工作がその雰囲気をつくった。「静かなインベージョン」が日本でも幅を効かせているんです。

楊逸　まさしくそうですね。

楊海英　日本の憲法改正論議も根は同じかもしれません。自衛隊を「軍隊」と言えないのも、なぜそうなっているのだろうという疑問の余地を持ち出せない雰囲気があります。金科玉条というか、一種の〝宗教〟になってしまっている。だから私は、「日中友好というのは邪教だ」と発信しています。邪教は一度はまり込んだら出てこられない。洗脳されていますから。

楊逸　邪教がむしろ、日本の中で主流になっていますからね。

楊海英　むしろ〝神聖な存在〟になっている。見えない邪教の教祖がいて「反米は歓迎、反日は大歓迎。だけど反中はいけない」と洗脳している。昔は反ソもだめでした。ソ連の負の歴史を研究する人は「ちょっと就職がね……」となっていた時代もあります。それ以上に、中国の日中友好工作の結果、「反中はいけない」という意識が日本人の体に染み込んでいるように思えます。日本人の善良さが、見事に中国に利用されています。「先の戦争では中国に迷惑かけちゃった。だから中国さんが何を言ってもいいよ、日本人は悪いことしてしまったから」という日本人の善良さをうまく利用しています。万が一、異を唱える人がいたら「あんた日中友好に賛成してないでしょ」「前科があるでしょ」「もう反省してないだろ」と糾弾する。すると人のいい日本人は、「ああそうでしたか。すみません」と謝る。束縛されて見えない枠組みを設けて、日本人が自分たちでは乗り越えられないようにしてしまっているわけです。

櫻井　ある種の洗脳ですよね。

楊逸　人の弱みにつけこむ悪どさですね。

「中国なしではやっていけない」という幻想

楊逸　経済的側面からの暗黙の脅しもありますね。日本人は、日本経済は中国なしでは成り立たないという意識が刷り込まれている。中国がないと倒れちゃうと信じているから、「中国人観光客をもっと呼ばなきゃ」「留学生を増やさなきゃ」という悪循環にはまり込んでいる。確かにオーストラリアのように、「ノー」と言ったら、留学生や観光客を送り込まない、ワインも牛肉も買わないといった、露骨な報復措置を中国はしています。でも、それで本当に損するのは誰でしょう。そうした中国の行為を明らかにすることが私の役目だと思っています。

楊海英　民主化運動の内部分裂に恐喝や強迫といった悪質な手口があるのは間違いない。

楊逸　私が思うには、内部と外部の両方の問題があって、利益や資源をいかに奪うかが、中国共産党の関心事です。つまり海外での親中勢力をサポートすること、国や民間の団体に多額の資金を提供して、その国の在留資格やグリーンカード、公民権を取得させる。それが一種の〝海外資源〟になるわけです。中国から海外に行きたい、移民したい人たちは、手早く市民権を取るために、そういうものを利用します。

そんな手法で、いろんな人が混ざって入ってくる。反中国の人も、そうでない人も。中には、「スローガンだけ唱えていればお金がもらえる」と、利益を目当てにやっている人もいます。そして、そういう人たちを利用して分裂させるのです。共産党の工作員を使って、外部からリーダーを買収したり、甘い言葉をささやく。例えば「一度中国に戻って、中国の大変化を実際の目で見たらどう？　自由にものが言える国になっているよ」とか。そして帰ると「ここでレストランでも工場でも自由につくって、商売もしていいよ」という形で、利益を見せびらかして懐柔するんです。

私の知人は、中年の元民主化運動のリーダーだったんですが、日本にいるのに日本語が不十分なので、ちゃんとした仕事にも就けない。それで離婚して独身生活を続けていたんですが「やはりまた結婚したい」と相談したら、「中国に戻って嫁さんをもらったらどう？」と持ちかけられて、帰って若い奥さんをもらった。そして「民主化なんてどこ吹く風」とばかり商売を始めて、いまでは日本と中国を始終行き来して、「中国はこれだけ変わったんだよ」とプロパガンダの手先になっています。

櫻井　人間の欲を利用して切り込んでいく手法ですね。

楊逸　残念ですが、これに抵抗できる人はそう多くない。私自身にそんな価値はないことを承知で、もし買収しにくる人がいたら、私はどうするかなあと思ったりもします。人間は、そもそも弱いものなんですね。

中国とのデカップリングをどう図るか

櫻井　日本のいまのあり方を見ていると、それと同じことを感じますね。国際政治の舞台で中国との「デカップリング（切り離し）」が叫ばれています。アメリカ政府の意向がファーウェイの副社長の拘束につながっていますが、わかりやすい事例としては、アメリカを中心に価値観を同じくする国々が、中国とのサプライチェーンを切るために、独自のサプライチェーンをつくり、中国との経済的関係をなるべく薄めていこうとしています。でも現実には難しい問題もある。

楊逸　日本の企業は、まだ中国にどんどん投資していますからね。

櫻井　企業の視点で見ると、中国には巨大なマーケットが控えていて、それを無視できないということになる。車も電気製品も、まだまだ需要が見込める。世界がコロナ禍で苦しむ中で、唯一経済成長がプラスに転じた。自分で災厄のタネをまいたのに、マッチポンプもいいところのとんでもない国ですが、現実には中国と商売することで目先の利益は出る。当面の数年間だけを考えると、中国はとても大きな市場なんですね。

楊海英　う〜ん、企業経営者としては、それを見逃すわけにはいかない、そう判断するのは無理ないですね。

櫻井　でも私たちから見ると、中国は鮎獲りの「やな」なんです。通りやすい道なのですが、奥のほうはどんどん細くなっている。水の流れに沿って鮎が進むと、罠が仕掛けてあって、その中に入ってしまうと、出て来られない。挙句は食べられてしまう。

中国との貿易は、この危険をはらんでいます。中国が支配する世界の構築に貢献することで、それが自由も人権も守られない世界に行き着くことになる。そんな社会に住みたいのかどうかが、いま問われているように思います。

いまはまだ流れが緩やかなところにいるので、そのことに気づいていないだけなのです。

楊逸　中国の世界戦略は、他国を糖尿病患者のようにしていくものだと思います。美味しいからと口にし始めて、だんだんと贅沢になっていき、はっと気づいたら重症の糖尿病患者になっていて、やがて透析が必要になってしまうといったような……。

櫻井　目も見えなくなる。足も腐っていく。

楊逸　そういう調子になっていくにしても、その段階では「デカップリング」は効果がないのですよ。

櫻井　デカップリングが効くか効かないかというところで、私たちはいま戦っていると思うんですよ。オーストラリアの人口は日本の六分の一、二千三百万人ぐらいです。そこが重度の糖尿病になってしまっていたと思うのです。でもいま、なんとかそこから這い上がろうとして戦っている。偉いと思います。

楊海英　日本はオーストラリアよりも経済大国で、技術力もある。日本は確かに中国なしでは経済的に大きなダメージを受けますが、それでも日本はやっていけるはずですよ。

櫻井　自分たちにやっていける力があるということを信じるかどうかが問題です。自分たちを信じるかどうかが問われているけれども、肝心の日本人自身が、自分たちの力を信じていない面がある。自信がないのです。

楊逸　私は信じています。日本の製造業でも、中国からサプライチェーンを撤回するところが増えています。観光業でも、今回のコロナ禍は、ビジネスモデルを見直すチャンスでもあるんですよね。中国頼りが一番危険だということは、だいぶわかってきています。『わが敵「習近平」』の中でも書きましたが、「日中友好というのは、まず平等の地点、同じラインに立った上でやらなければならない」と思うのです。中国頼みで中国観光客相手に、「歓迎光臨」という横断幕を掲げるのは、もっとも短絡な考え方だと思いますね。

櫻井　財界も、利益が欲しいので、中国から離れようとしないのでしょう。しかし、行き着く先は悲劇以外の何物でもない。足の一本を切り取らなければいけないかもしれないけれど、いまならまだ義足をつければ歩ける状況です。重篤化する前に引き返すことは可能です。それができるかどうか。決断次第なのです。まだ十分に間に合うということを、お互いに確認し合って、中国からできるだけ離れることが大事です。

楊海英　何が日本をだめにしているかっていうと、私は日本の政財界だと思うんですよ。私が二十五年間、日本の若い学生を教えてきてわかるのは、日本の若者はとても優秀だということ。でも、社会に出た途端にだめになる。それは。異論を封じ込めてしまうからです。私のゼミでは「なるべく人と違う意見を言え」と語っています。世の中にはいろいろな意見や見方がある。だから一所懸命、違う見方を知って、どれが正しいのか、自分で判断する癖をつける必要があります。自分で判断し、自分で行動するようにと教えるんです。

　彼らが勉強する四年は、「よし、自分の頭で考え、自分で判断する」と燃えているんですが、会社に入った瞬間、「先輩の言うことを聞け、会社の命令に従え」と強制されて、途端にふにゃふにゃになってしまいます。大手企業が、優秀な私の学生たちをだめにしている。

楊逸　「協調性」ですね。日本のよい面でもあります。

楊海英　「協調」というと言葉は美しいですが、要するに個性をすべて殺すことと同じ。もうそろそろ、それをやめるべきですね。特に今後はオンラインやリモートの時代になるので、いままで以上に個人の判断力が重要になります。トップの遠隔コントロールや上層部のマインドコントロールでは、日本がだめになります。

楊逸　もうひとつ言っておきたいのですが、メディアでも学会でも、中国関係の研究で有名な学者や学会のドンという人は、中国のプロパガンダに加担している気がしています。

櫻井　そうしないと、中国研究ができないのでしょう。

楊逸　研究の自由がない限り、真実がなかなか伝わりにくいし、それに日本の外務省には「チャイナスクール」というものが存在しているらしく、親中的でかなり力があると聞きますから、それって日本の対中政策にも影響するんでしょうね。

楊海英　自由に研究ができるのは、いつの日になるでしょうね。

楊逸　大事なのは「勇気」なのです。

「日本は旧宗主国として責任を果たせ！」

櫻井　確かに日本人は自分を信じて、戦う気持ちを持たなければいけない。でも戦後の教育で、「戦わないことがいいことだ」と教えられてきた。なにも中国と戦争しようと言っているのではなく、中国に戦争をさせないために中国と向き合う必要がある。戦う気迫を示す必要がある。楊海英さんが、いつも私たち日本人を、「旧宗主国としての責任を果たせ！」と叱咤激励する。その気持ちは、とてもよくわかります。

楊海英　日本はアメリカとともに、力を背景にして世界に出て行くことはできません。だから少なくとも、かつての「植民地」には積極的に関与してほしいと願っています。台湾、朝鮮半島、そして満蒙（満洲、モンゴル）です。

櫻井　台湾とは、いまだに相互の結びつきが深く、中国の毒牙から守る手助けをすることが、日本の安全と繁栄につながります。けれどもいまのままの日本なら、事実上、ほとんど何もできません。台湾有事のときにどうするか。自衛隊が米軍の後方支援だけを担う形では、日本の国土防衛もできなくなる。国民に「危機が差し迫っている」と説明し、認識を共有してもらい、現実から目をそらさずに、対処策を考えなければならないのです。台湾を守ることとは日本を守ることと重なります。台湾防衛に自衛隊が展開できるようにしなければならないと、私は考えます。

楊海英　朝鮮半島は民族分断の地です。これは紛れもなく、日本の統治がもたらした結果です。自由主義の韓国、独裁国家の北朝鮮という体制の違いがあり、統一は困難ですが、民主主義と人権を基軸にしながら、南北統一に寄与する責任があると思うのです。

櫻井　モンゴルも分断国家ですね。

楊海英　日本の敗戦の結果、モンゴルは二つに分けられてしまいました。モンゴル人民共和国はソ連と一緒に満洲に進軍し、満蒙の先住民である内モンゴルの人たちを日本から解放したのですが、民族の統一が実現されるどころか、逆に中国の統治下に組み込まれてしまったのです。そして「内モンゴル自治区」という名称で〝自治権〟が与えられましたが、「日本に協力した罪」などに問われ、文化大革命の中で大量虐殺が繰り広げられました。その後も、人々が中国の圧政で苦しんでいます。先ほども述べた通り、モンゴル語での教育を禁じ、文化的ジェノサイドが行われています。いま内モンゴルには「民族問題さえない」と言われるくらい、徹底的に抑圧されています。

櫻井　その原因をつくった責任があるのですから、日本人はこうした問題をまず知らなければいけない。問題解決にも努力しなければいけません。

ですがいまの日本人は、それ以前のところで立ち往生しています。自国の安全保障をみても、「自力で自国を守れる」とは、多くの人は思っていない。情けない状態です。

例えば尖閣諸島に中国軍が押し寄せてきたら、「アメリカに日米安保条約の第五条を適用してもらう」という、他人頼みの発想がまず出てきます。菅首相とバイデン大統領との最初の電話会談で、バイデン氏が真っ先に「第五条」を取り上げたら、それがテロップでＮＨＫに流れる有様です。「助けてくれるんだって、安心した」というような空気がパアーッと広がりました。「なんて気概のないこと」と思いました。悲憤慷慨しても足りない。

そんなふうに〝腑抜け〟になった日本ですから、「中国とのデカップリングが不可欠」と言われても、「お金が儲からなくなる」と躊躇してしまう。

先回りして中国の魂胆を見抜く

楊海英　中国は、そういう相手の様子を察して手を打つのが、とても上手な国なんです。
櫻井　確かに。お金が欲しい相手には、利益を出せるように仕向ける。名誉がほしければ名誉、愛人がほしければ愛人を用意する。中国は、相手を取り込む天才です。その中国に、日本はどう向き合うべきか、私は日本の歴史の中に答えがあると思うのです。聖徳太子の時代に、「わが国は基本的に中華の価値観は断る」と決めました。日本の道、大和の道を歩むと決めた。日本人の日本人らしさをとりわけ意識して、それをいつも前面に押したてるようにするのがよいと思います。楊逸さんはどう思いますか。

楊逸 私個人の力ではどうにもなりませんが、最大の問題は西側の先進国の政治家の姿勢です。日本だけでなく、アメリカもEUも、政治家に勇気が足りない。一般市民には「もっとこうしなければいけない」と気づく人が多いけど、政治家はだらしがない。思い切って政策転換をはかる勇気が必要です。たとえ糖尿病にかかっていても、いま足を切れば間に合うなら、思い切って切ってしまったほうがいい。目先の利益に目が眩んで糖分を摂取し続けていたら、腐って死ぬしか道は残されていない。いま、利益を度外視できるかどうかにかかっています。

櫻井 もうひとつ、日本人がするべきことは、「中国共産党がいかに対日憎悪を中国人に植えつけ、その憎しみを共産党のために利用しているか」に気づくことです。対日憎悪の利用方法は驚くほど理論武装されていて、恐ろしいぐらいに浸透しています。

中国人は「失われた百年」を盛んに言い立てます。一八四〇年の第一次アヘン戦争以来、一九四五年に終わった第二次世界大戦まで、百年間に中国は六つの大きな戦争を戦った。

第一次、第二次アヘン戦争、日清戦争、義和団事件、満洲事変、日中戦争で、後半の四つが日本を敵とする戦いです。アヘン戦争まで中国は世界に君臨し、外国人に貿易を〝させてやっていた〟のに形勢が逆転して、今度は貿易を〝させられ〟たり、門戸を〝開かされ〟たりした。それで彼らは「奪われた」と思っています。あれもこれも奪ったのは日本だと考えている。しかし、いま自分たちは力をつけたので、今度は奪い返す、取り戻す、という意識がとても強いのです。

楊海英　その最大の憎悪の対象が日本であるということに、日本人が気づかないといけない。中国共産党主導で政治的につくられたこの「憎しみの構図」をこれ以上押し進めないようにする、むしろ押し返すように、私たちの側も理論武装しなければならない。

櫻井　韓国の学生と話していたとき、その学生が言いました。「毛沢東がいかに日本軍に感謝していたかを日本人はもっと知ったほうがいい」と。社会党が中国訪問で日本軍の侵略を謝罪した際、「いやいや日本軍が戦ってくれたおかげで国民党を排除することができた」と、共産党幹部が語ったこともある。「我々は三万人から五万人ほどの弱小勢力だったのに勢力を拡大することができたのは日本軍のおかげ」と。確かに「国共合策」は、共通の敵である日本と戦うためにイデオロギーの違いを超えて手を結んだのですが、実は共産党軍はなるべく自軍の戦力を温存し、終戦後に国民党を撃破した。抗日戦争で疲弊した国民党軍には、押し返すだけの余力が残っていなかった。

楊海英　中国共産党は「抗日戦争に勝利したのは共産党が全国人民をリードしたから」と教えていますが、それは単なる神話でしかない。実際は、習近平の故郷である陝西省の僻地・延安に立てこもって、アヘンの材料であるケシを栽培し、女性とダンスに興じ、日本軍と死闘を繰り返す国民党軍に、背後から一撃を加えていただけ。それどころか、「中国が日本軍をアジア各地で殲滅したから、世界はファシズムとの戦いに勝ったのだ」なんて、一方的に歴史を書き換え、自分たちの役割を際立たせているのです。

櫻井　日本人はとても単純な見方をしていて、日本軍と戦ったとき、共産党軍は戦力的に劣っているから逃げていったと考えていた。戦略的に考えれば、共産党軍は武器も少なく、もともと弱い。そこで戦力を温存するために、逃げるという戦術を選んだ。私たち日本人はもう少し、中国共産党の対日観や、彼らが日本との歴史をどんな形で利用してきたかを知っておくべきです。中国国民は幼いときから「反日」で教育される。小さなときから徹底して教育されたら、根本的に反日思想で凝り固まってしまいます。

中国国内の反日思想は、最初は政治色の強い反日でしたが、時が経つにつれて、心の底からの反日になってしまった。「仕返し」「日本を奪い尽くす」「取り戻す」という精神構造の中に、中国全体があるということを日本人が理解すれば、デカップリングについても、少しは進むのではないかと思います。

「中国は大国」という幻想を捨てよう

楊海英　おっしゃる通りなのですが、どうデカップリングできるかということになると、日本人には中国に対するふたつの呪縛があると思います。それは、日本から西を見ると、中国がとてつもなく大きく見えるということ。もうひとつは、歴史的にいろいろ教えてもらった「先生の国である」という呪縛。地理的な呪縛と歴史的な呪縛。ですがそれはイメージであって、私の『逆転の大中国史』（文春文庫）に詳しく書いてありますが、モンゴル高原から見ると中国は小さいのです。さらに例えば天山山脈を越え、パミール高原を越えて、カザフスタン、キルギスに行けば、中国は東アジアの裏側でしかない。

トルコのイスタンブールを歩いてみると、石ころだってローマ時代のものです。あそこから見ると中国はユーラシア大陸の端の端でしかない。いわゆる中華文明というのは、西からシルクロードを通って伝わった西からの文明、北からの文明、東方からの文明の集積で、方々から伝わったものがそこで沈殿してできたのが中華文明なのです。つまり、いわゆる中華民族が独自につくったものではない。いまでもカザフスタンやキルギスに行ったら、「チャイナ」の報道はほとんどないのです。モンゴルにはテレビが六十チャンネルくらいありますが、ほとんどがアラブかロシア、アメリカのニュース。中国を取り上げるのは一チャンネルだけ。なのに、日本が本家中国以上に毎日、中国を話題にする。モンゴル人の私にしてみると、いやというほど中国を感じさせる、だから嫌になるのです。

楊逸　日本人は、本当に中国を意識しすぎですよね。

楊海英　その通りです。日本から出ると、別の惑星に来たかと思うほど幸せなんです。昨年、私はアメリカ、カザフ、トルコを訪れましたが、「チャイナ」という言葉は、よく探さないと出てこない。

櫻井　それほどまでに……。

楊海英　日本では、スポーツから週刊誌、大手新聞まで中国報道があふれています。つくられたイメージに惑わされて、過大評価しすぎ。中国から多くを教わったと言いますが、主要なものは漢字と漢籍だけ。でも漢字を使っているからといっても、日本は中華の一部ではない。ウイグル人はアラビア文字を使っていますが、ウイグル文化はアラブ文化と違います。イランだってイラン語はアラビア文字ですが、歴史的文化圏はアラビア語ではない。イラン人もコーランは読みますが、自分たちはシーア派で、漢籍文化圏とかアラブ文化圏だとは思っていません。

それに比べ、日本人は「かつて教わった恩人の国、大人の国だ」と意識しすぎです。新疆から見た中国、あるいはハルビンから見た南は、とても小さい。新疆はユーラシア大陸の中心部にあります。この大陸は東西二万キロ以上。それに対して中国は東西約五千キロしかない。ですから草原の民は、中国を「大国」なんて思っていません。日本人の思考が不思議でなりません。

「失われた百年」には根拠がない

櫻井　学術的にも、「中国は古来から文明国だった」という説が流布されています。しかし中国が盛んに唱えるこの論は信憑性がないと、楊海英さんは強調なさる。

楊海英　その通りです。たとえばアヘン戦争が終わった時点で、「中国が経済的に世界一」

だったなどいう証拠はありません。イギリスのオクスフォード大学が、「本当に中国はアヘン戦争が終わった時点で世界一だったのか?」を検証するプロジェクト立ち上げ、数年間かけて研究した結果、それは検証できませんでした。世界一だったという証明はどこにもないのです。

実は、中国自身もそう思っていないのです。では、誰がそう言ったかというと、『資本論』のカール・マルクスです。彼の一連の著作、たとえばマルクスとエンゲルスが一緒に書いた論文で、「我が大英帝国がいかにインドを搾取しているか」を記しています。マルクスもエンゲルスも中国は詳しくないけれど、インドには詳しい。インドはイギリスの植民地ですから報告書がたくさん集まってきて、それを読んだ結果、中国の〝大きさ〟を予想したのです。「インドでもこれくらいだから、中国はもっとすごいだろう」という具合に、彼らが想像しただけなんです。それを中国の人たちが取り入れた。マルクスとエンゲルスを学ぶ過程で、ほんとに学んだかどうかあやしいのですが……。

櫻井　中国人が叩き込まれている「失われた百年を取り戻す」という主張には、なんの根拠もないということですか。

楊海英　マルクスはアヘン戦争を批判してないのですが、ともあれ彼の言説は立証されていない。貿易の面でも、「中国は国土が広く、世界一豊かだった」と、我々は子どもの頃に教わりました。ところがこれもユーラシア貿易に関する本を読むと、実態とは異なることがわかります。我々はシルクロード交易というと、ヨーロッパとアジアを結んだと考えていますが、実態はパミール高原からローマ、イタリアまでの貿易でほとんどが占められているのです。

私自身は、中央アジアはアジアではないと考えているのですが、パミール高原を超えて中国まで運ばれたものは、とても少ない。というのは、中国は自ら万里の長城を建設し、内外の行き来を遮断したのですから。したがって、中国のものをヨーロッパに運ぶのは難しい。きちんとした学術研究では、パミール高原から西の世界にはインド産の紅茶、生薬の大黄、絹、羊毛などが運ばれていて、その流通量まで記録されています。しかしシルクロードの東の果て嘉峪関《かよくかん》から外に運ばれた量のデータがない。しかも、近世になって東トルキスタンが新疆になるまで、中国の物産が新疆に入ったこともない。なぜなら一九四八年まで、新疆には二十八万人しか漢人がいませんでしたから。しかもほとんど軍人です。

したがって、「中国の貿易を帝国主義が略奪して、最後の一撃を加えたのは日本だ」という中国の言説は真っ赤な嘘。いわゆる「失われた百年」とか「世界一だった」という説は、まったく成立しないということになります。

櫻井　ストンと胃の腑に落ちるように納得できました。中国は歴史を「自分たちはこうあってほしい」と思う形で捏造していく。したがって中国が紡ぐ歴史の物語は、事実とはまったく切り離されていて、「中華民族はこうあるべきだ」「歴史はこうあってほしい」という虚構でしかない。しかし、世界はなかなかその虚構に気がつかない。

でもこのごろようやくわかってきたことがあります。たとえば中国は南シナ海の領有権を主張していますが、二〇一六年、シンガポールのシャングリラ会議で中国人民解放軍のナンバーツーの副参謀長、孫建国氏が講演したときに、イギリス人記者が放った質問したことがあります。

「南シナ海の九段線の中は全部中国の海だと中国は主張しますが、その根拠は？」と訊いたのです。すると孫建国氏が、「あなた方西洋の人が言う国際法の根拠は意味がない。なぜならば、中国は二千年前からこの南シナ海を自国の海として領有していた」と堂々と主張したのです。会場は大爆笑でした。二千年前と言ったら、日本では弥生時代です。中国では前漢後漢、漢の時代です。「海の領有権」という概念自体がない。「ああ、中国人はこういう壮大な嘘をつくんだ」と、よくわかりました。

楊海英　そうです、シルクロード交易の実態も、世界最大の帝国というのも、すべてでたらめ。

櫻井　本当に。にもかかわらず、中国共産党はそれを主張し続ける。情報を与えられる側は深く検証しないまま、なんとなく信じてしまう。

「黄河文明は世界四大文明の一つ」は作り話

楊海英　ついでに一言だけ申し上げますと、日本人はよく「四大文明」という言葉を使いますね。黄河文明もその一つだとされています。ですが、これはいま、学界では死語になっています。歴史出版で定評のある山川出版社の教科書にすら、「四大文明」という記述はありません。四大文明とは、メソポタミア文明・インダス文明・エジプト文明・中国文明とされていたのですが、考古学の発達により、これらの地域以外でも、多くの文明が見つかっているからです。また、中国でも、黄河流域以外の地域で多くの古代文明が見つかっています。

「四大文明」という言葉は、清朝末期に、日本の京都に亡命した梁啓超《りょうけいちょう》さんがつくった言葉なのです。彼は清朝皇帝に忠誠を尽くした漢人の知識人。当時は漢人という意識もないでしょうが、日本に来て「自分は漢人だ」と、民族意識が目覚めるわけです。

その梁啓超さんは、ほかにも中国の民族意識を高揚させる言葉をたくさん、中国に持ち帰っています。例えば福沢諭吉と渋沢栄一が翻訳した「民族」という言葉も彼が中国に導入したもの。日本がつくった言葉が中国に導入され、「自分たちは中華民族なんだ。清朝を打ち立てた満人は敵だ。だから夷狄である満人とモンゴル人を追い出し、自分たちは中華民族として団結しよう！」という意識につながっていったというわけです。

櫻井　それは清朝の末期のことですか？

楊海英　そうです。「いまのように弱い清朝は中国を代表していない。実は中国はそもそも、世界の四大文明のひとつだったんだ」というふうに、若い人たちの民族意識を鼓舞していく。そこで彼と交流していた京大の知識人たちが「四大文明っておもしろいね」ということで、日本の教科書に登場するようになった。でも、ヨーロッパ、アメリカ、中央アジア諸国の教科書に「四大文明」という言葉は登場しない。

櫻井　黄河文明と、インドのインダス文明、中近東・チグリス・ユーフラテスのメソポタミア文明、エジプト文明と、学校で習いましたね。

楊海英　日本人はいまだに「四大文明」を定説にしている。でも当の中国でさえ、「黄河文明」だけでは歴史的根拠が薄弱なので、「揚子江文明」を加えたりしています。日本人が盲信する「黄河文明」とか「中国何千年……」というのは、呪縛ですよ。日中友好が邪教であるのと同時に、中国何千年っていうのはフィクションなのです。どう考えても人類は西から東に流れてきているんですから、西の文明のほうが古いのは当たり前。トルコのイスタンブールでは五千年前の遺跡がごろごろしているのに、中国では一向に見つからない。

櫻井　ははあ～。

楊海英　さらに面白いのは、当時日本ではダーウィニズム、社会進化論が流行っていました。社会進化論的に言えば、白人が一番優れていて、次は褐色の人種、要するにコーカソイド。三番目が黄色人種で、その次が黒人だと。「進化が違うんだ」という。梁啓超は、これを中華思想、彼らが考える陰陽思想に合わせるんです。「我々黄色人種の中では漢人が一番優れていて、進化してないのは蒙古人、満洲人、日本人」だと規定する。「東夷南蛮」の思想ですね。社会進化論、ダーウィニズムは、中国人には相性がよかったんです。マルクスもそうでしょう。「人類は原始社会から奴隷社会、封建社会、資本社会へ……」という説は、これも中国人には相性がいい。確かに、中国は白人、ヨーロッパ人の前では「失われた百年」だけど、「東アジア一帯では中国人が一番だ」と胸を張る。「中国社会が資本主義になった段階でも、チベットでは奴隷社会、蒙古は封建社会が続いていた」なんて、平然とウソを言い放つ。

櫻井　中国が民族意識に目覚めたきっかけは、梁啓超が日本に亡命してきたことだったというのは、面白い事例ですね。それに関連して、中国や朝鮮半島に民族意識を覚醒させた日本の役割にも注目していいと思うのですね。

たとえば朝鮮民族には、日本が併合統治するまで民族意識がなかったという説を韓国の学者が唱えています。日本が統治を始めてから、彼らは初めて「自分たちは何者か」と自問し出したというのです。私たち日本人は「日本は朝鮮半島を無理矢理併合した」というふうに教えられました。でも実際は「朝鮮人は自ら日本人になろうとした」という事実があった。彼らは自ら進んで日本の軍隊にも入ろうとしたと、先述の学者が豊富な事例をもとに書いているのです。

その理由は、当時の朝鮮社会が両班（ヤンバン）と平民に分かれていて、両階層の間には絶望的な淵があったからです。平民はこの差別の溝を乗り越えて上に行くことは決してできない。そこで圧倒的多数を占める下層の人たちは、自ら進んで日本人になることで、朝鮮社会で力のある存在になりたかった。そういう心理が働いて、積極的に軍隊に入ろうとしたというのです。

また、「檀君神話」というものがあります。その学者の説によれば、日本人が彼らに誇りを持たせるために、「あなた方にはこういうルーツがあるんだ」と教えたのだそうです。特に子どもたちに。そこに朝鮮民族のアイデンティティが芽生えて、朝鮮半島に初めて民族意識が生まれたと説明されています。

楊海英　梁啓超の話も、これと似た側面がありますね。それまで漢民族は満洲民族の下で〝お仕え〟する側だった。もっとも、清朝では満洲民族も漢民族化していくので、簡単には言い切れませんが、でもそこで彼が日本に来て「民族」という言葉に出会い、福沢諭吉や渋沢栄一といった、当時の日本の知の巨人たちに啓発されて「中華民族」の意識に目覚めていくというのは、実に興味深い話です。

櫻井　こういうことを知ることは、今後、我々日本人がどう行動したらいいのか、とても参考になるはずです。楊海英さんが「日本は旧宗主国としてもっと責任を持って」というのは、あらゆる意味で正しいことだと思います。

楊海英　私は東アジア人ではないので、長城の北側の中央アジア出身の研究者として漢字文化圏を見た場合にしかすぎませんが、日本が朝鮮半島や中国、台湾において果たした役割はとても大きいのです。それは近代の先駆者として、たとえば朝鮮を覚醒させ、台湾の近代化に貢献した事実は疑いようもありません。中国に対しても同じ。梁啓超さんだけでなく、和製熟語というものがすべて中国に入っています。「平和」「民衆」「幹部」「人民」「共産」……現在、中国共産党が使っている言葉のほとんどが、日本人が翻訳したものなんです。それぐらい日本の役割が大きい。

でも、だからといって日本は中華圏にはならない。たとえばヨーロッパ型の近代文明が中近東に来たときに、誰がそれをペルシア語、アラビア語、トルコ語に翻訳するか、その役割があるわけです。先に訳した国が近代化への歩みが早いということで、その意味で、日本が東アジアで果たした役割は非常に大きいのです。

櫻井　言葉の問題については、日本人は中国から漢字を輸入しましたが、同じように江戸の終わりから明治の初めにかけて、ヨーロッパやアメリカの先進文明、先進知識を貪欲に吸収しているんです。そしてそれを、的を射た素晴らしい日本語に訳している。

しかも、当時は中国から、魯迅を筆頭に一年間で八千人もの人が日本に留学しています。興味深いのは、彼らが日本で毎日のように図書館に通っていたことです。翻訳された日本の文献を読み、それを通して、欧米列強の進んだ技術や経済の仕組み、国家統治システム、考え方や文化風習を学んだわけです。彼らが持ち帰った言葉が、中華人民共和国で、いまも重宝されている。これは、楊海英さんが繰り返しおっしゃっていることでもあります。

その一方で、日本人は中国から漢字を輸入しましたが、日本でつくった漢字も数多くあるんです。中国から学んだことを発展させてきたのです。そこで私は、私の主宰するシンクタンク「国家基本問題研究所」で、提案したことがあるのです。近代中国が明治維新以降、どれくらいの漢字、熟語、言葉を日本から逆輸入したか、これは明治維新以前の中国の文献と、それ以降のものを比べれば、歴然とするわけです。そういう研究を是非すべきじゃないかと。そうしたら「そんなことをしたら、日本の中国専門家としては、生きていけません」という声が出てきました(笑)。「日本はひたすら中国に学ばせていただいたという路線でないと」というのです。だから、日本における中国研究はだめなんですね。

楊逸　面白いですね。でも私、最近思うんですが、日本では駅や建物のトイレの案内表示に、必ず中国語が入っている。でもロサンゼルスに行ったとき、英語と韓国語の説明のふたつだけなのに気がつきました。中国語がなかったのにはびっくりでした。

日本では英語、韓国語のほかに中国語。しかも従来の漢字を簡略化した「簡体字」と、歴史的に長く利用されてきた「繁体字」の二種類で書かれている。過剰ですね。英語だけでいいんですよ。「郷に入れば郷に従え」で、「もしわからなかったら聞きなさい。聞きたくないなら来ないでいい」って、私は思っています。

第四章

習近平が崇める『毛沢東語録』の歪んだ世界観

中国拡張主義の源泉『毛沢東語録』

櫻井　清朝の時代には、中国もいまほど拡張主義があらわでなかったと思うのですが、共産党が政権を掌握して以降、特に習近平体制になって以降、とみに侵略的姿勢が強くなった気がしますね。

楊逸　それは『毛沢東語録』の影響です。毛沢東の有名な言葉に、こうあります。「人と人を戦わせていれば、自分は権力をしっかり握れる。権力や王座を確たるものにするには、敵をつくるのが一番大きい」と。

楊海英　もうひとつ、『毛沢東語録』には、「中国人は地球の主人公にならなければならない」とも書かれています。『毛沢東語録』は私の愛読書なのですが、それを読むと、現代中国共産党の思考がよくわかってきます。

楊逸　私たちは子ども時代に暗誦させられました。彼のゆがんだ世界観が、あとになってわかってきましたが、でも当時は「それが真理だ」と教えられました。成長し、日本文化や海外の哲学に触れて、「毛沢東はゆがんだ人格だ」とはっきりわかってきましたけど。

楊海英　中国人は地球の主人公にならなければならない、地球を管理しなければならないという根本思想があるから、世界を中国のものにするために、なりふり構わなくなってきたということですね。

楊逸　毛沢東は同時に「我々の使命として、世界の人民を助けなければならない」とも語っているんです。ですからウイグル、南モンゴル、チベットでの蛮行も〝虐げられた人民〟を助けていることになっている。恐ろしいことに。

楊海英　「文明人の子を生ませてあげますから、文明人らしくしなさい」ということですね。

楊逸　「たとえ人命であろうと、代価になるなら、いくらでも惜しみなく払う」という考え方。

楊海英　先ほど、南モンゴルの言語剝奪の話をしましたが、この問題にしても、僕がツイッターやフェイスブックで「モンゴル語が大事だ」とツイートしたら、おそらく漢族の人なのだと思いますが、「あんな言葉のどこがいいの。中国語のほうがはるかに優れているじゃないか」と、そういうコメントが溢れ返ります。中国人の意識は、革命のときから進歩していない。

櫻井　すっかり洗脳されてしまっているというわけですか？

楊海英　しかも、漢族は多数派ですからね。新疆でも内モンゴル自治区でも、我々はいま難しい状況にいます。例えば民主主義体制になればモンゴル人やウイグル人に有利になるかといったら、決してそうではない。「砂を混ぜられた政策」がここまで浸透していますからね。共産党政権が例えばいま転覆して終焉して、新たに「新疆国」「南モンゴル国」「チベット国」などができても、いざ選挙となると、漢族の票数が勝ってしまうんです。彼らの人数のほうが多いから。ですから、「パックス共産党」(共産党的平和)の中にいる現在のほうが、考え方によっては平穏と言えるんですよ。もし新疆で共産党政権が崩壊したら、間違いなく血で血を洗う抗争が繰り広げられます。少数者のウイグル人、モンゴル人のほうがひどい目に合いかねない。

櫻井　非常に深刻な指摘です。独立したらしたで、大勢の漢人たちを相手にしなければならない。その戦いは間違いなく、厳しいものになりますね。

楊海英　日本の選挙制度といえども、どこかの地域で漢族に人口比で逆転されたら、先住の日本人が負けてしまう。

櫻井　在日中国人が急増しているだけに、リアリティのある話です。他人事ではありません。

語録は「願望」であって現実ではない

櫻井　『毛沢東語録』を再度、読み始めたのですが、我々が最も警戒すべきところはどこか、素直に読めばいいことばかり書いてあって、「これがほんとうだったらどんなに素晴らしいだろう」と思うくらいです。共産党員なんて、これ以上の人格は存在しないとさえ思えてきます（笑）。

楊海英　共産党員が〝人類の模範〟になるくらい（笑）。習近平の頭の中にはこれしか入っていないと思います。彼はいろいろ外国を訪問するたびに、ロシアへ行ったら「トルストイを読みました」、フランスではフランスの有名な作家のリストを挙げて教養を示しますが、内実は読んでいないはずです。彼はあまり字を読めない人なので……。

櫻井　え、習近平主席が字を読めない？　世界はそう思っていませんね。習近平氏はむしろ頭がいいというイメージがありませんか。

楊海英　でも、若いときに勉強していないので、あまり字が読めない人なんです。

楊逸　彼は下放青年ですから……。

楊海英　習近平は六九年に十七歳で下放されているんですよね。王毅外相も、同じように下放された経験があるはず。

楊逸　うちの一番上の姉が十六歳のときにロシア国境の地域に学生下放され、戻ることなく、一九七六年にそこで事故死しているんです。王毅外相は同じ世代ですね。

楊海英　王毅さんは、私の北京第二外国語学院の先輩です。私の入学は彼が卒業して一年後か二年後なので、直接会っていませんが、「中国の外交部に就職した立派な先輩」と、後輩の我々に先生たちが語っていました。私の先生たちのうちの何人かも彼の同級生で、日本がつくった通称・大平学校で研修を受けた人たち。当時は日本にとても好意的でしたけれど王毅さんは習近平にすり寄って、徹底的に毛沢東思想に先祖返りしてしまいました。そうしないと生き残れないからです。

毛沢東思想のどこが面白いかというと、いくつか特徴があります。日本では平凡社ライブラリー版が一般的ですが、竹内好さんの訳注がわかりやすいです。でも中国語のオリジナルで読めれば、毛沢東の文章がかなり素晴らしいことがわかるはずです。

櫻井　少しでもそれに触れたいと思って中国語と日本語の併記版を探したのですが、残念ながら見つかりませんでした。

楊海英　毛沢東の文章は、いま我々が学術論文を書くときの参考にもなります。西洋人の書き方に似ていて、すべての段落で、先に結論を述べています。それから証拠を示していく。また、「すべてにおいて、表があれば裏がある」と、毛沢東は必ず言う。世の中には革命派がいれば反革命分子もいると。

櫻井　それが彼のいう「反動」ということですね。

楊海英　とても弁証法的で、演出がうまい。しかも、ふつうの人が読んでもわかりやすいほどの文章の巧さ。中国では一九一〇年にようやく口語体の文章が定着していくのですが、それまで知識人たちはまだ気取った文章を書いていて、半分古典的、半分近代的な形の、明治期の日本語のような形態です。それでは庶民はわからない。でも毛沢東のものは、とてもわかりやすい。

烈しい闘争心が中国人をひきつける

楊海英　もうひとつ中国でよろこばれている理由は「闘争心丸出し」であることです。彼の一九二〇年代の出世作に「湖南農民運動調査報告」というものがありますが、あれは名作です。「われわれは革命をしなければならない。革命というのは誰かを呼んで宴会をしたり、女性が刺繍をしたりするものではない。村のチンピラどもを動員して地主階級を殺し、金持ちのお妾さんの柔らかいベッドで寝転がるんだ」なんて書いてあります。アッハッハ、まるで山賊ですね。

当時の中国共産党指導者である李大釗《りだいしょう》や陳独秀《ちんどくしゅう》など、早稲田大学の政治学科で学んだ人たちは、そんな過激なことは考えていなかった。「地主の柔らかいベッドで妾と寝転がるために革命を起こすんだ」なんて夢見ていないし、チンピラを動員するなんて論外です。でも毛沢東の着眼点は、そもそも違います。みんなびっくりします。中国共産党の内部でも日本で学んだ人たちと、毛沢東のように外国留学経験のない人たちとの路線対立が始まります。毛沢東たちはとても暴力的なんですが、この暴力性が中国で大衆受けする。

私は『墓標なき草原』(岩波現代文庫)を母国のモンゴル語から、英語とロシア語に翻訳したときに、とても苦労した経験があります。日本語でも未だに苦労しますが、これと同じように、『毛沢東語録』には乱暴な言葉が多数出てきます。それはどうやってもうまく訳せない。たとえば先ほどの毛沢東の文章、「相手を打倒してさらに踏みつけろ」をモンゴル語に訳す場合、モンゴルの編集者に相談したのですが、そもそもモンゴル語の中に、「人を殴る」とか「踏みつける」という汚い語彙がないのです。「すでに倒れているのに、なぜまた踏みつけなければならないのか？」と編集者は訊く。「すでに殴ったのに、そこまでしつこくやるのか？」と。「いや、これは毛沢東の言い方なので、モンゴル語に訳す場合はどうします？」と編集者と議論しなければ、翻訳ができない。「相手を臭くなるまで批判しろ」というのも同じです。日本語にする場合も、ついこの前も編集者と議論したばかりです。「臭くなるまで」が日本語では表現できない。中国語では「名誉が地に落ちた」ことを「臭くなる」と表現します。中国人にはわかるが、日本人とモンゴル人にはわからない。そのニュアンスをどう伝えるか、おそらく楊逸さんも苦労しているでしょう？

楊逸　中国語には他言語にない毒々しさがありますね、人間性は言葉に影響されると思いますが、特に日本語には他人を罵倒するときの言葉が少ないですね。「馬鹿野郎」とか「くそ！」くらい。これは日本人の民族性だと思います。

でも、中国語の罵倒言葉は世界一多い。中国人のおばさんたちが、街のど真ん中で口げんかを始めると、永遠に止まりません。速射砲のように汚い言葉が出てきて、怖いぐらいです。そんなに罵倒されるなら死んだほうがましと思うくらい。言葉による暴力以外の何物でもない。

中国人のやり口は容赦がない

櫻井　楊逸さんは文化大革命のときに自己批判させられて、皆の前で罵倒された経験があります。それと同じですか？

楊逸　言葉の暴力もありますが、やり口にも情け容赦がない。女性に汚いものをぶつけて、首から「私はふしだらな女です」なんて看板をぶら下げさせたり、引きずり出して町中の見世物にしたり……。

私は物心ついた頃から『毛沢東語録』を覚えさせられましたが、彼の文体は非常に覚えやすいのです。言葉に力があるので、スローガンに向いている。しかも、人間の野蛮な本性をあぶり出し、怒りを煽る力がある。敵をしっかりつくって、勝ったら手にできる生活を具体的にイメージさせるのです。たとえば第二次世界大戦に敗れた日本の降伏を受けて中国では「国共（国民党軍と共産党軍）内戦」が勃発しました。国民党の軍隊に比べ、装備などがひどく劣っていながら、「国軍を消滅して、電灯と電話のある洋館暮らしをするのだ（楼上楼下、電灯電話）」だの、「地主を打倒し、地主の妾を寝取ってやる」だといったスローガンを叫んでいたんです。実際にこのスローガンを叫んだ当時の兵士たちの多くはのちに、「勝利したら地主の妾と洋館暮らしができる」と本気で信じていたようです。これは史料を読めば、よくわかります。

　でもいざ勝利したら、そんなものは幻想に過ぎなかったことがすぐわかります。それどころか、自分の奥さんが美人だとしたら、それを上司に奪われてしまう。『毛沢東語録』は害悪の塊です。

櫻井　『毛沢東語録』には「階級と階級闘争」という項目があります。本当に闘争的で過激です。たとえば「反動的なものは君が打たない限り倒れない」「掃除と同じことで、箒が掃かない限り、ごみは自分から逃げ出さないのが通例だ」「敵がひとりでに滅びるわけはない。反動勢力であれ、アメリカ帝国主義の侵略勢力であれ、ひとりでに歴史の舞台から引き下がるわけはない」「革命は客を呼んで宴会を開くことではない。文章をつくることではない。絵を描いたり刺繍したりすることではない。風流でおおらかに構えた文質《ぶんし》彬彬《ひんぴん》で温良恭倹《おんりょうきょうけん》ではあり得ない。革命は暴動である」などなど、具体的に書いています。

　そして「革命はひとつの階級がひとつの階級を覆す、激烈な行動である」とも書いてある。「革命」というと私たちは漠然としたイメージを抱きがちですが、『毛沢東語録』はとても具体的です。地主階級を農民階級がひっくり返す、ツァーリを普通の人たちがひっくり返すことなんです。

楊逸　目的もやり方も、将来実現したあとの生活も具体的に書かれていて、「やるしかない」と鼓舞されるはずです。特に一文無しの人たちは、なんでもほしいはずですから。

櫻井　革命を成し遂げたら地主階級をやっつけて土地も家ももらえる。きれいな奥さんも奪うことができる、と。

楊海英　結局、こういう思想で武装された中国人農民が一九四五年以降に、南モンゴルに入ってきて、社会をめちゃくちゃにするのです。私は文化大革命に関する資料を編纂していますが、どういうものが中国語からモンゴル語に翻訳されたかというと、『毛沢東語録』や中国共産党の文献。「臭くなるまでやっつけろ」とか「殴り倒してから足で踏んづけろ」とか、そもそもモンゴル語にない表現が、延々と続きます。

あの美しい中国語はどこに消えた

楊海英　これが新聞、雑誌に掲載され、ラジオ番組の冒頭で、毎回、毎回、放送されるんです。もともと、穏やかな国民だったはずのモンゴル人なのに、数十年間これを聞かされて育った結果、モンゴル語がとても乱暴な言葉になりました。

楊逸　毛沢東の中国語に汚染されてしまったんですね。

楊海英　南モンゴル出身の私なのに、モンゴル共和国を訪れたとき、なんで彼らは、こんなきれいな柔らかい言葉をしゃべるんだと、感嘆しました。私の出身地の言葉は、なんでこうではないんだろうと、悲しくなりました。

私はモンゴル語と中国語、日本語のトリリンガルなので、言葉には敏感です。だから余計にそう思うのかもしれません。ちなみに高校のとき、台湾の国民党の海外向けの放送や台湾の放送をときどき聴いていました。こっそりテレサ・テンの歌とか。「ブルジョワジーの音楽」と言われて、見つかったら処罰される音楽……。

櫻井　聴いちゃいけなかった、北朝鮮と同じ。

楊海英　いけない、いけない。〝人間を堕落させる音楽〟なので、発覚したら警察に連れていかれる。でも、布団の中でこっそり聴いていました。わくわくするんですよね、あの歌声は。特に女性の声が柔らかくて、とても女性らしい……。でも「これが人を堕落させるんだ」と自己反省して、でもやっぱり堕落していく。

それで北京に行ったとき、香港と台湾出身の若い人たちに出会って、「漢族の中でもこんな上品な言葉を話す人がいるんだ」とびっくりしました。私が小さいときから出会ってきた漢族は、先ほど楊逸さんが例に出した「おばさんたちの言葉」ですから（笑）。世間知らずのモンゴル人は圧倒されてしまいますよ。

楊逸 毛沢東以降、「女性も半分の空」というスローガンがあって、私たちは、日常会話はもちろん、ラジオでも、男女問わず声を張り上げて、意志を強く持って挑まないといけないと教えられてきました。もともと声が小さくて優しい女の子でも、あまりに優しい声を出すと、「人を惑わそうとしているんじゃないか」と容疑をかけられかねない。「ふしだらで、資本主義的で、男性を誘惑しようとしているんじゃないの」という目で見られる。だから私の世代では、甘ったるい嬌声は出せない。恥ずかしくて鳥肌が立ってしまう。ですから、私のような五十歳代以上の中国女性が育った環境のせいで、私も「女性らしさ」など知らぬまま育ちましたから、いまどきの若い女の子たちのそういう部分を見て、違和感を覚えたり、うらやましがったりもします。

櫻井 おうちの中で会話するときも、声を張り上げるのですか。

楊逸 少なくともお母さんはお父さんに対して、日本人のように「あなた、これ食べて」

なんて優しい言葉は使わない。「とっとと食べなさいよ！」という強い口調ばかりです。

楊海英　僕は家ではモンゴル語で生活していたので、外とは全然違う言語世界になります。でも外に出ると、中国語の陝西省北部、習近平の故郷ですけど、そこから来た人たちの張り上げた声を聞かされる。圧倒されて怖くなります。家に帰ってモンゴル語を話すと、穏やかな世界に戻れます。それでもモンゴル共和国に行くと、自分たちの言葉がいかに乱暴で優雅さを失っているかに気づかされるのです。

楊逸　私は日本に来てまず感じたのは、特に日本人の女性の声がきれいで高くて素敵なこと。耳に心地よく、聞き惚れてしまったこともあります。中国女性はなぜ、こういう声を出せないのか、ずっと考えていました。ですけど、もしお母さんが優しい声出していたら、たぶんまわりに「気持ち悪い」と思われていたでしょうね。

櫻井　日本だったら妻が夫に「これ召し上がれ」とか「温かいうちにね」というところ、中国では「chi ba」「食べろ！」と命令する口調ですね。

楊逸　そういう環境で育ってきたものですから、日本に来てびっくりすることばかりでした。日本のラジオを聴くだけでもびっくり……。

櫻井　中国人も韓国人も、日本人には怒って喧嘩しているように聞こえます。なぜ中国ではそういう話し方をするかというと、「中国語は子音の数が多いので、はっきり言わないとわからない。だから声を張り上げてはっきり言う」という説明を聞いたことがあります。でも映画などを観ると、古代の中国の皇帝や皇后の話し方は美しい。乱暴になったのは共産党政権誕生後ですか？

楊逸　共産党政権になってから、ひそひそしゃべると、謀りごとをしてるのではないかと疑われるということもありますね。常に監視されている社会ですから。それに、優しくて上品な女性というのは資本主義社会の産物で反動的だという意識も強い。ですから、たとえ本性が優しくても、優しさを見せてはいけないんです。

うちの母は地主の娘なので、よけいに強くしゃべらないと批判されてしまう。一九四七年、中国が「東北解放」をした際は、母はまだ十一歳でした。もちろん学校も行けなくなってしまいました。母の父、つまり私の祖父は息子二人を連れて台湾に逃げてしまい、家には女と子どもだけが残りました。それでも「地主家族」ということで、批判大会のたびに、一家全員が村人の前に引きずり出されて、革命貧農たちの批判を受けるのでした。「搾取地主」だの「貧農の血を吸う寄生虫」だのと罵倒され、ときに殴られることもありました。もちろん反論も反撃も許されません。とてもかわいそうだったと思います。私は小さい頃から、そういうスローガン社会に育ったこともあって、日本に来てからも「女らしさって何か」がわかりませんでした。「女性らしさ」なんて、私と同世代までの中国女性にはわからないものですし、おそらく一生、得ることのできない〝性質〟になっているのではないかと思います。

櫻井　おじいちゃんが息子二人連れて台湾に逃げたのは、いつ頃のことですか？

楊逸　一九四七年ごろ、中国東北地方が〝解放〟される直前です。地主階級なので、そのままだと命が危ないと、共産党勢力の追及から逃げることにした。

祖父が家で寝ていたら、夜中に共産党の連中がやってきた。長く馬車に乗っていたので、みんながトイレに行っているすきに、我が家で作業を手伝ってくれていた人が、「いまのうちに逃げろ」と伝えに来てくれた。祖父は、靴を履く間もなく逃げたそうです。

すると共産党の工作隊が家に入ってきて、布団を触ったら、まだ温かい。畑の中の夏の見張り小屋に潜んで、母が毎日、こっそりご飯を届けに行っていたのです。二人の息子、つまり母の兄で私の叔父たちは、ひとりは瀋陽、もうひとりは北京の学校に通っていましたが、何日かしてこっそり祖父が瀋陽に行き、そこも危ないから北京に逃れて、それからもう少し南へと向かって、最終的に福建省まで追いやられ、逃げて、逃げて、いつのまにか台湾に着いちゃった。そしてその後、祖父と叔父たちが日本に来たんです。そのおかげで、数十年後に私が日本に留学できて再会し、いまにいたっています。

櫻井　逃げなければ間違いなく、三人は処刑されていたのでしょうね。

楊逸　あのとき逃げていなかったら、きっと処刑されていたに違いありません。ですから、母の家族、大陸に残った者全員が引きずり出されたというわけです。「地主の家族、搾取階級だから、徹底的に批判せよ」という具合ですね。そして共産党が入ってきたその日のうちに、母の一家は家から追い出されて、馬小屋に押し込められてしまった。うちの母は記憶力がよく、小さい頃のことをよく覚えています。

櫻井　村全体から批判されたわけですね。

楊逸　批判に加わらないと、意識に問題があるとみなされてしまいます。同情してはいけないんです。

なぜ中国人の話し言葉は激しいのか

櫻井　話を戻しますが、毛沢東の革命の言葉が中国人を汚染していったと考えてよいのですか。

楊海英　南モンゴルのモンゴル語がとても乱暴な言葉に変質した、という意味だけでも、文化的なジェノサイドだと言っていいと思います。それは恐らくモンゴル語だけではない。現代中国語は特に言語としての歴史が浅いので変質しやすく、だから暴力的な言葉になる。香港と台湾の言葉を北京官話と比べたら、だいぶ違います。中国語はそもそも乱暴な言語だとは思っていましたが、中国にも優雅に話す人はいます。毛沢東の暴力的革命の思想が社会に浸透していって人間を徹底的に変えてしまい、その人間が集団で暴力化していくわけです。搾取階級、地主階級を村中でつるし上げるときに、それに加わらないと自分の身が危なくなります。社会全体がそうなっていくんです。

ウイグル問題、南モンゴル問題、チベット問題についても、少し前なら反骨の人が出てきて異論を唱えたはずですが、いまは「それは違う」という人がほとんどいない。そんなことを口にしたら、たちまちつるし上げられ、「裏切り者」の烙印を押されたり、追放される危険性がある。漢族の人は周辺民族を「野蛮」というイメージで見ているということもありますが、現実に発言できないのは、独裁制度で固められたからですね。そういう視点から見ると、いまの中国人を知るのに役立つので、私は『毛沢東語録』を愛読しています。

櫻井　なるほど、その視点で読むと中国人の思考がよりよくわかる。

楊海英　いまの独裁主義中国と戦う際、相手の論理で彼らと戦うために、これが役立ちます。中国人の、中国共産党の、そして習近平の思考回路が、これを読めばよくわかる。習近平が信奉しているのは、毛沢東が唱える「徹底的に殲滅せよ」という文言。例えば香港は、西洋列強が我が国からもぎ取った領土に過ぎず、「屈辱の百年」の最たる事例でしかないのです。チベットはヨーロッパ中世よりも暗黒な風土なので、「我々が解放しなければならない」という意識。同じようにウイグル、モンゴルも〝中国の威光〟をもって光を当ててあげなければならない……。

櫻井　彼の論理は、すべて『毛沢東語録』からきていると解釈してよいですね。

楊海英　一種の覇権主義で、全世界の労働人民を解放しなければならないという論理は、「革命の輸出」です。一九六〇年代、実際に中国は革命を世界に輸出していました。現在も続いています。キューバ、南米、アフリカ、コンゴ、ザイールなどです。

日本にも輸出しています。早稲田大学を出た、東京生まれの廖承志さん。彼は江戸っ子です。私のところに彼のスピーチ集がありますが、彼は一九六七年にこう語っています。「日本には数万人華僑がいる。その中の十分の一でも武器を持ってゲリラになれば、我々の戦力ができる」と。実際に京都大学の学生にも中国から武器が渡っていて、それを私が大阪の大学院にいたときの先生たちが見ています。

中国からの武器は大阪港に到着しましたが、実際に学園闘争に使われたかどうかは不明です。私の先生の一人は火炎瓶を投げて逮捕されそうになったので国外に出て、やがて博士号を取って戻ってきました。「パクられる」という言葉もその先生から教わりました。ともあれ、毛沢東語録は未だに世界のベストセラーです。

櫻井　『毛沢東語録』は革命を輸出して、世界各地で暴力革命を起こす起爆剤になった。乱暴なことも書かれていますが、美しい言葉も羅列されています。例えば「愛国主義と国際主義」。「中国は強大な社会主義兄弟国となるだろう。そうなって当然である。なぜなら九百六十万平方キロの土地と六億の人口を擁する国家だからである。ただし中国は人類に対し、より大きな貢献をしなければならない。われわれは謙虚でなければならない」と書いてある。「現在ばかりでなく四五年後もそうでなければならず、永遠に謙虚でなければならない。中国人は国際的交際の面では断固として徹底的に、残らず大国主義を殲滅しなければならない。われわれは決して傲慢な大国主義的態度であってはならない。尊大になってはならない。国家は大小を問わず、みな長所と短所を持っている」

他国のことをとても認めているように聞こえますが、中国共産党の本心は異なると考えておくべきです。中国人はみなこの毛沢東語録を暗誦しているとして、「中国は謙虚でなければならない」という言葉を胸に、実際に中国人は何を感じるわけですか？

楊海英　中国が望むのは「朝貢体制」です。日本も韓国、北朝鮮も、朝貢に来てくれれば、喜んで迎えます。毛沢東もアフリカ諸国はもちろん、日本から当時の社会党の田辺書記長、あるいはアメリカのニクソン大統領に対しても「熱烈歓迎」。

裏返して言えば、「大国も小国も平等」というのは、あくまでも自分が中心に立ったときの話。だから相手が朝貢に来たときには大人の態度を取る。「自分と平等に扱う」なんて毛頭考えていない。

楊逸　でも、私は幼い頃に『毛沢東語録』を読んで、本当に信じていましたよ。世界中で一番幸せな国は中国だと信じて疑わず、海外諸国で苦しめられている人々を解放するのが中国の役目だと、心底から信じていました。

ですから、日本にいる叔父からカラー写真が届いたときには、びっくり仰天しました。叔父一家はみな美男美女で、想像を超えるほどおしゃれ。「日本で苦しめられているはずなのに、なぜこんなに幸せそうな顔をしているんだろう」って。私はそれまでカラー写真なんて見たこともなく、すべて〝ねずみ色の世界〟で暮らしていました。化粧品も知らず、口紅なんて見たこともない。それなのに、叔父の家族写真は服も顔も美しい。うちの母が家族についてあまり語りたがらず、兄弟がいることも知らなかったのです。その写真が届いて、初めて日本にいることを知った。「え、日本にいて大丈夫なの？　どれだけ辛い生活してるの？」と思ったのもつかの間、写真を見てびっくり。それから、日本に行きたいという気持ちを抑えきれなくなった……。

櫻井　若く純粋であればあるほど、額面通りに取ってしまいがちです。罪作りなことです。

「世界の革命センターに」という虚構

楊海英　私は『「知識青年」の１９６８』という本を二〇一八年に岩波書店から出版しました。下放された青年たちが中国から世界を見に行く話です。たとえば雲南の下放青年たちはビルマに入ってビルマ共産党ゲリラになっていく。そのとき越境していった人たちは、いまだにミャンマー国境で麻薬を植えて生活をしている。麻薬マフィアのボスは、そのとき越境してミャンマーで革命を目指した革命家。モンゴルに逃げた人もいます。

いまミャンマーでは軍事クーデターが勃発しましたが、ミャンマー情勢は複雑で、単純化して語ることはできませんが、中国は間接的に、軍事技術を国軍側に流しているのは公然の事実です。

楊逸　越境していった人の大半はミャンマーの熱帯雨林の中で死んだそうですね。国民党の軍隊も行っていますが。無謀だったとしか言いようがない……。

楊海英　「中国は世界一幸せな国で、反対に世界は熱湯にもがいている。だから解放して、中国は世界の革命センターにならなきゃいけない」というのが毛沢東の言葉。

でも、驚くほど暴力的で自己中心的な考え方。革命を輸出するなんて覇権主義です。結局、この問題がソ連との衝突の原因になっていくわけです。というのは、ソ連は、モスクワこそが世界の革命センターだと自認し、アフリカと、アラブなどの社会主義共和国を支援していたわけです。結果的に、現在、中東とアメリカの紛争は、ほとんど中国とソ連、それにアメリカが争っていたところ。そこに毛沢東主義が深く浸透していった。

例えば一九六〇年代、アメリカで黒人闘争が勃発し、やがてベトナム反戦運動と連動してくるのですが、そこで毛沢東が、アメリカの黒人を支援する反人種宣言を出す。有名な演説です。それは「アメリカには深刻な人種問題があるが、わが国にはない。それは白人が、帝国主義が、黒人の労働者を搾取しているからである。我々は黒人を支援しなければならない」というもの。これを聞いてアメリカのネオ・リベラルと黒人たちがおおいに鼓舞されたという伝説があります。

櫻井　中国は、以前からさまざまな手段を用いて、アメリカの内政に干渉していたと言われています。

楊海英　トランプ前大統領とバイデン大統領の選挙戦でも「中国の関与」が取りざたされましたが、それは公然の秘密。たとえば「ＢＬＭ（黒人の命も大事）」運動も、中国が支援しているとささやかれています。毛沢東はアメリカの人種問題に積極的に関与し、黒人運動を支援しています。キング牧師を例にアメリカを批判するときも、私は「ウイグル人の命も大事だと言えよ」と思っています。でも中国は自国の民族問題については猛烈な弾圧を加えています。

民族問題について、毛沢東はこう語った。

「われわれは民族主義に反対しなければならない。民族主義にはふたつあり、大漢族の民族主義と、地方民族主義。ウイグル人、チベット人、モンゴル人のは地方民族主義。漢族にあるのは大漢族主義。われわれはどちらにも反対しなければならない。ただし、主として大漢族主義に反対しなければならない……」

まさにその通り。これはすばらしいとみんなが認めた。だけどいま現在、この言葉はとてもウイグル人、チベット人、モンゴル人は口に出せない。言えば殺されてしまうので、大きな恐怖です。六〇年代に内モンゴルで大規模な虐殺があったときも、モンゴル人は「殺戮を止めてくれ」と願った。毛沢東は、「大漢族主義に反対する」と言っていたはずだからです。でもいま、内モンゴルのモンゴル人は恐怖に怯えて、毛沢東の言葉を口にする勇気すらない。つまり毛沢東は国際的に革命を輸出して政治干渉していたし、「中国は地球を管理しなければならない」と語っている。国内の民族問題についても、たいそうなことを言っているけれど、決してその通りにはなっていません。

習近平が邁進する「第二の文革」

櫻井　『毛沢東語録』が中国共産党の、少なくとも毛沢東の考えた中国のあるべき姿で、それに習近平が一所懸命に戻ろうとしているというわけですね。恐ろしいことです。でも、鄧小平の時代には、毛沢東主義を隠してきた。習近平になって毛沢東に先祖返りした。習近平はそれを露骨に出してきているという解釈でいいのですか？

楊海英　その通りです。二〇一四年から翌年にかけて『習近平著作集』が出版され、神田の東方書店という古本屋にも置かれています。私はすべて目を通しましたが、総じて小学生の文章だとしか言えない。『治国理念』というタイトルです。

楊逸　私はまだ読んでいません。

楊海英　おそらく読む気にならないはず。シンプルな文章ですが、とても上手いとは言えない文章。おそらく秘書が一所懸命ブラッシュアップしているはずなのに、それでもこの程度。そこで習近平は「我々は改革開放前の三十年を否定してはいけない」と語っています。鄧小平が改革開放を始めたわけですが、それ以前の三十年。中国建国の一九四九年から七〇年までの歴史を再評価しようという意図です。鄧小平とそれに続く江沢民は、「文化大革命は間違いだった」と、建前上は否定した。ところが習近平は、「すべてを否定してはいけない」と語っている。

実は毛沢東については、中国国内で「毛沢東はやり過ぎ」と、知識人は断言したり、示唆していました。文革中の南モンゴルの虐殺も最高責任者は毛沢東だという議論もありました。それがいま習近平政権になって、中学高校の教科書から文革についての記述が消えたり、記述ぶりが変わってしまった。昔は「文革は全国人民に災難をもたらした」というものでしたが、いまは「苦難の中で行軍してきた」という書き方。まるで北朝鮮の平壌放送のアナウンスのようです。

楊逸　文化大革命の再評価ですね。一度反省したけれど、今度はその反省を再反省……。

楊海英　民族問題については、特にそうです。文革中も、チベット、ウイグル、南モンゴルは大弾圧を受けたのに、習近平になってからはさらに厳しくなって「文革後の民族政策はゆるすぎた。少数民族を優遇しすぎた。宗教の自由も与えすぎた」という認識になっています。だからイスラムを徹底的に弾圧しているのです。「モスクを認めてイスラム信仰を放置したのは間違い」「ウイグル人にウイグル文字（これはアラビア文字ですが）を復活させたのは間違いだった」「モンゴル人を調子に乗せたのも間違いだった」と。どういうふうに調子に乗ったかわかりませんが、習近平は内部でそんな講話をしています。

『毛沢東語録』の「言葉」に注意

楊逸　私が思うには、日本人は『毛沢東語録』を読んでも、そこに含まれる〝概念〟というか、意味がよくわからないはずです。

楊海英　おっしゃる通りですね。

櫻井　例えばどういう言葉、どういう概念ですか。

楊逸　たとえば「資本家」や「地主」「反動派」「ブルジョア」という言葉。他の国ではなんともない中性的な言葉ですが、中国では〝極悪〟の代名詞です。彼らは銃殺に値する存在なのです。「反動派って何が悪いの？」と、日本人は考えるでしょうが、中国では死刑になってもおかしくないくらい。

楊海英　笑い話なのですが、以前、私の両親が日本に来て、近所を散歩していたら「地主」と書かれた看板があったんです。すると父が、「あ、ここに悪い人が住んでいたんだ」と言う。「ここの土地の主という意味だよ」と教えたのですが、父は悪人の搾取階級で銃殺すべき存在だと思ったらしい。

楊逸　私にもあります。日本に来たときに、ある芸能人が「資本家の息子と結婚」と報道されたのを見て、「何、それ。怖い！」と感じた。いまでこそ中国の文芸作品も、「私、ブルジョアなんです」なんて表現し始め、「スタバに行ってコーヒーを飲む、なんてブルジョア的なの……」といった具合の記述も現れていますけど。褒め言葉のように聞こえますが、昔はブルジョア階級は打倒すべき存在で、少しでもそういう傾向があると……。

櫻井　殺されてもしようがない。

楊逸　そうです。つまり中国人にとっては、『毛沢東語録』は、自分が戦わなければならない思想闘争の教材なんです。一言ひとことに大変な意味が含まれている。ですから日本人は、いくら毛沢東語録を読んだところで、深くは理解できないと思います。

楊海英　『毛沢東語録』は、平凡社ライブラリーから出版されていますが、訳者の竹内好さんはリベラルな人ですが、彼の翻訳文章が美文なのです。なまじ名文であるために、中身がまったくそぐわない。だから日本人は、内容の激烈さを想像できない。

楊逸　ですから『毛沢東語録』を読むときは、しっかり注釈つきで読まなければいけません。それでも本質は理解できないかもしれない。経験しないと、なかなかわからない。「資本家の何が悪いの？」という言葉のマジックを汲み取るのは……。

楊海英　中国理解の限界というのは、実はそこにあります。

楊逸　読むだけではわかりません。「民主」「人民」という言葉にも魔術のような意味合いがあって、その真意は言葉からは読み取れないんですよね。

楊海英　先ほども述べたように、南モンゴルで去年九月から、教育現場でモンゴル語が廃止されてしまった問題ですが。中国の公文書には「廃止」とは書かれていません。するとネットでいろんな人が私を批判する。「廃止なんて書かれていないじゃないか」と。でも実態は廃止なんです。彼らだって国連憲章は理解していますし、憲法でも「諸民族が固有の言語で教育を受ける権利」を認めている。でもその通りにしない。それが中国。現実の中国の姿と、建前の中国、毛沢東が言う中国、共産党が語る中国は一八〇度違うんですね。

豊かな人ほど毛沢東信者という不思議

櫻井　ところで改革開放後、中国は物質的には豊かになりましたね。

楊海英　一部の人だけですね。

櫻井　スタバでお茶を飲むのも当たり前になってきたんだろうし、車も電化製品も持つようになって、一人当たりのGDPも日本とさほど変わらなくなってきている。その人たちは、もう一度、中国が毛沢東主義の時代に戻るのはいやなはずでしょう。

楊逸　毛沢東信者は中国に、驚くほどたくさんいます。しかも、改革開放で生活が豊かになった人に限って毛沢東信者なんです。私は、日本に来て矛盾を感じて考え始めました。楊海英さんは来日してすぐに目覚めたかもしれないけれど、それまでは中国国民は十何億人もいるから、ちゃんと食べさせるのも大変だからという、一党独裁の理解者の立場で考えてきていた。しかし、国民はどんどん奴隷化していく。大多数の民は貧しいままに置かれているのに、一部は富を謳歌している。この落差の激しさに愕然とします。これは自分の目で見ないとわからない。中国国民は、巧みな詐術で洗脳されているから。

楊海英　アンビバレントを感じます。毛沢東のうまいところは、庶民が読むと、庶民は「自分たちのこと考えてくれている、だから我々は幸せなんだ」と感じるところ。金持ちが読むと、「私は人民を解放して責任ある立場に立っているから、今度は彼らを管理して幸せにしなければならない」と考える。漢人が読めば、「国土を守ろう、百年の屈辱を晴らそう」と、いろんな立場に対応して書いている。

楊逸　もうひとつは、文革時代へのノスタルジーが盛んになっていること。経済が発展するにつれて、貧富の差が開いていくことに、静かな怒りが高まっていることです。

私が中国に帰ってタクシーに乗ったら、運転手さんがこう話しました。「毛沢東の時代、『毛沢東語録』があんなに売れたのに、彼はその原稿料をまったく自分で使わないで質素な生活をしていた」と。これは毛沢東崇拝の面もありますが、文革時代を懐かしむ傾向があるということです。「文革のときはみんな貧しかったけど平等だった。いまはどこかおかしい……」という。いまは既得権益階層があって、その人たちしか富を手にしていない。「我々はどんなに働いても家を買えない」という意識が強いのですが、その原因が制度にあるとは考えない。むしろ文革時代はよかったという逃避的な考え方。

楊海英　それを「ニュー毛沢東主義者」と言います。

楊逸　中国だけではなく、日本や海外にいる中国人にも、そういう考え方はありませんか。

楊海英　共産党のさらに極左の人たちは、「鄧小平、江沢民は修正主義になりすぎた」と考えています。「一部の人間だけが豊かになって、人民が搾取されている。もとの時代に戻れ」と叫ぶ人がいる。そういう新左派というか、毛沢東主義の忠実な信徒が増えています。江沢民時代は政策遂行の邪魔になるので彼らを抑えていたのですが、習近平になってからは、野放しです。

櫻井　新左派の人たちというのは、習近平自身がそうですね。ほかに誰がいますか？

楊海英　筆頭株は習近平。薄熙来《はくきらい》。

櫻井　王毅外務大臣は？

楊海英　一緒でしょう。一緒に下放されているから。

櫻井　常務委員会は、習近平を入れて七人、その中には？

楊逸　委員会に入れたメンバーは、習近平との関係を保っていたい。ですからなまじ意見を述べるより、頭を空っぽにしているほうが安全だと考えているはずです。

櫻井　李克強首相は習主席とは少し違いますね。

楊海英　習近平とはやや距離がある。

楊逸　楊海英さんがおっしゃるように、他の委員は自分の思想を表に出せない。

櫻井　習近平に従うだけということですね。

終身皇帝・習近平の末路は

櫻井　ともあれ毛沢東回帰を志向する習近平は、とてもうまくやっているように見えます。武漢ウイルスをコントロールして、「メディカル一帯一路」を画策するとか、世界の国々は中国製ワクチンは欲しくないけれど、先進国でワクチンが不足しているのをよいことに、アフリカなどでは中国製ワクチンを積極的に受け入れさせている。ミャンマーにもずる賢いアプローチをしていて、世界に勢力を広げつつある。

楊海英　それはいまに始まったことではないですよ。

櫻井　それも事実ですが、しかし習近平が終身皇帝として第二の毛沢東になり、中国の仕組みを掌握して、世界中に手を伸ばす……この手法は本当に成功すると思いますか。

楊逸　少なくとも、いまの日本には中国の洗脳が効いています。私が恐れているのは、せっかく中国から逃げてきたのに、今度は逃げるところがない。日本内部に、中国パワーがじわじわ浸透している。アメリカのバイデン政権が中国との対決姿勢を打ち出していますが、どこまで実効性があるか？

楊海英　中期的には中国は成功すると、私は思っています。でも長期的には、手ひどい惨敗を喫するのではないかと予想しています。

中期的に見れば、中国は巨大な市場を抱えているので、資本主義的に利潤優先、儲け優先と考えれば魅力的な存在です。フランスもアメリカも日本も、表面では非難しても、裏では握手をしている。天安門事件後、「制裁」を叫びながら、日本が一番最初に天皇陛下、いまの上皇陛下を訪問させているんです。日本だけでなく、世界中が中国にひれ伏しています。中国もそれがわかっていて、自分の二枚舌、三枚舌でうまくいくんだと考えている。したがって中国は、巨大な市場と先進技術という大きな「武器」を使って、世界各国をもコントロールできるようになっています。ケニアもウガンダも中国の監視カメラ技術を導入しましたし、中央アジアの国も導入する予定です。

楊逸　トルコもそうですね。

楊海英　するとジョージ・オーウエルの『1984年』のような世界が現実的になってきた。中国を中心とした徹底した管理社会。これは当分続くと思います。先進国でも土地を買ったり、親中派を育てたり。さらに先端技術を吸い上げて強化していく。

ただこれがどこかで、なんらかの形で失敗したら、二通りのシナリオがあると思うのです。ひとつは、「習近平だけが悪かったんだ」「共産党だけが悪かったんだ」「世界は中国と仲良くしよう」というふうになること。これは根本的な解決にはつながらない。むしろ中国という存在が、なぜ化け物みたいになってきたかというのを、きちっと見ないといけないと思います。

私が思うには、習近平が無理矢理、人工的に寿命を延ばさない限り、いずれ終焉のときを迎えるでしょう。そのときに「習近平だけが悪かったんだよ、はい、終わり」と、個人に責任を負わせるのではなく、根本的に原因を明らかにしていかなければなりません。「これから漢族はウイグルと仲良くする、モンゴル人とは兄弟ですよ」なんて言い出すかもしれませんが、そんな嘘八百を信用してはいけません。

なぜ中国人は他民族を馬鹿にするのか

櫻井　トランプ政権は明らかに中国共産党と中国の一般国民、漢民族を分けて対応しました。だから二〇一八年十月のペンス演説にしても、その後のポンペオ演説にしても、ウイグル問題でも、中国共産党と中国人民を分けて考えて、共産党をターゲットにしています。私も漢人全員が悪いと思っていません。先に「中国人」という表現で批判はしましたが、ほとんどは「中国共産党」と言うようにしています。共産党は約一億人の党員を抱え、ほかに何億人も漢民族がいます。楊海英さんは、共産党と中国の漢民族を分けて考えることについてどうお考えですか？

楊海英　私は中国共産党も中国も漢民族がつくったもので、そこは一体化していると考えています。同じ共産党でも、ロシア共産党のソ連とはまったく違います。民族性の問題です。漢民族の人たちは、その文化と歴史ゆえに、他人を差別します。

櫻井　どういうふうに？

楊海英　ロシア人はけっこう誠実で、諸民族と平等に付き合っていく人たち。中国人のように中央アジアの諸民族やモンゴル人を馬鹿にしたりしません。「遅れている」とか「野蛮」だとか、「大酒飲みだ」という目で我々を見ない。ボルシェビキがモンゴルに来て、モンゴルの封建制を打倒してから今年でちょうど百年になりますが、決してモンゴル人を蔑《さげす》んでこなかった。貧しい者同士、仲良くした。

櫻井　他方、中国人は他民族を馬鹿にする人々ですか。

楊海英　貧しい無教養の漢族でも、貧しいモンゴル人ばかりか、教養あるモンゴル人さえも馬鹿にする。私がいつも書くように、自分の名前も読めない、書けない漢族の人間が、モンゴル語、ロシア語、中国語、日本語までできる教養あるモンゴル人を「野蛮人」と侮蔑するんです。モンゴル人はもともと何種類もの言葉を操るユーラシアの民族です。ロシア人は心底、世界の共産革命を考えていてソビエトをつくりました。レーニンが言う通りに、憲法で「いやだったら分離独立権がある」と規定している。ロシア人とモンゴル人、ロシア人とカザフ人が結婚しても、いやだったら離婚できます。

しかし中国の憲法では諸民族に分離独立権がないのです。結婚して、どんなに漢族にDVを受けても「愛してる」と言わなければならない。それどころか、いまはDVされても、「愛してるから殴ってるんだよ」と言われているような状況。「あなたの中の不穏分子を片付けているんだから、もっと俺を愛せよ」と漢民族は言っている。暴力と思っていないんです。

櫻井　なるほど。それが漢人の考える「革命」であり「解放」ですね。

漢民族こそ中共の最大の被害者

楊逸　つまり、漢民族は意図的にそうすることで、少数民族の〝血〟を薄めようとしてきた。共産党が政策的にやってきたわけです。少数民族が被害者であることは間違いないことですが、私は、もっとも被害の大きな民族は漢民族だと思います。同胞を殺戮した歴史もあるんです。でも同じ民族に対してやった行為は民族問題にならず、他民族相手の行為だけが民族問題としてクローズアップされているんです。

私も日本に来てから教育に携わるようになって、たくさんの留学生たちと交流してきました。すると気づかされることがたくさんあります。他人の姿が鏡のようになって、中国人の醜さに気づくことが多々ありました。日本で勉強しながら、やはり差別感情など、自分の意識の中にある「いけない部分」がたくさんあることに気づくのです。それは、これまで述べてきたように、中国の教育がその意識を育てているからです。それは異民族に向かうだけでなく、同胞相手の場合でも抱く感情です。そんなふうに育てられてしまった漢民族は、とても不幸なのだと思います。

ですから私は、中国からの留学生たちが日本の先進技術を学んで、「将来、日中友好の架け橋になりたい」なんて語るのが大嫌いです。「先端技術で友好の架け橋」ということ自体、むしろ中国政府による〝洗脳〟なのです。むしろ、せっかく日本に来たのだから、民主的な考え方や人権意識を学んで欲しい。人間として生まれて、もっとも大事にすべきものは何なのか。生存権や財産権などもありますが、中国からの留学生にいちばん教えなければならないのは、技術でも文化でもなく一般的な民主思想なんです。人間として生まれて、どんな常識を持たなければいけないか、それを教えていかなければなりません。

楊海英　でも、それが効果を持つまでには時間がかかるでしょうね。というのは、私の経験では、ゼミに一人でも漢民族の学生がいると、授業が成り立たないのです。

楊逸　思い込みが激しいですからね。

櫻井　具体的に語ってください。

楊海英　例えば、モンゴルやウイグルの民族問題を取り上げて、「彼らは差別を受けている」と語ると、途端に漢民族の学生が進み出てきて、「彼らにそんなこと言う権利はない。

中国が彼らを解放して優遇してきた歴史をわかっていない」と、こうなる。彼らの理屈は、「例えば新疆には一九四八年に二十八万人しかいなかった中国人が、いまは一千万人。それは私たちが辺境に助けに行った、支援に行った、開発に行った結果だ」です。

他人の話を聞こうとしない。すると日本人学生もやる気をなくしてしまう。それ以上、無理に進めようとすると、「反中教授」「反共産主義者」のレッテルを貼っていく。

楊逸　個人の力では無理ですし、いろいろ考えると絶望的な気持ちになりますね。

楊海英　私の在籍する静岡大学の先生が、「南京事件にも諸説がある。犠牲者の数も三十万人から八万人、あるいは三万人まで幅がある」と語ったら、たちまち中国人留学生たちが「南京事件否定派の反動教授、歴史修正主義者を断罪せよ！」とキャンパス内でデモを繰り広げました。学校側も教授会も困惑して、「謝罪しては？」ということになった。謝罪する理由なんて一切ないのに、理不尽な話ですよね。

櫻井　実際に謝ったのですか？

楊海英　謝ってはいないと思います。

櫻井　その教授は、まだ大学に在籍していますか。

楊海英　すでに定年退職されましたが、「静岡大学の反動教授」とレッテルを貼られて、名誉が毀損されたまま。有名な事件です。
もうひとつ、静岡県立大学の宮田律先生のゼミにウイグル人女子学生がいました。宮田先生はイスラムの研究家ですからね。そうしたら中国人留学生たちから「テロリストだ」と名指しされた。彼女がある日、泣いてきた。私の研究室をノックするからドアを開けたら、見知らぬ女の子が泣いているんです。「何かあったの？」と訊ねたら、ウイグル人というだけの理由でいじめを受けているという。結局、私のゼミに転籍することになりました。「大学はまったく守ってくれないけれど、先生は抵抗してくれた」と語っていました。彼女の家族はウイグルで漢族の人たちに迫害され、今度は自分が大学でいじめられている。その経緯を記した本が、今年中には出版されると思います。

櫻井　オーストラリアで起きているのと同じことが、日本で、これほど起きているのは衝撃です。前にも述べましたが、ハミルトン氏の『サイレント・インベージョン』は日本の問題でもあることを、日本人はまだ十分に意識していないですね。

楊逸　香港の留学生もいじめられていますよね。大陸からの学生にリンチされています。

楊海英　香港人はいい暮らしをして恵まれているのに、何を文句言ってるんだという理屈ですね。香港人は、自分たちを中国人だと思っていない。特に若い人はそうで、その点が攻撃の対象になっています。

留学生に民主主義教育を

楊逸　私自身は実際にいじめたことはありませんが、そういう考え方の時期がありました。共産主義に洗脳されて、脳が〝真っ赤〟になっていたんですね。

でも、すぐには効果を生まなくても、留学生には「人権とは何なのか」「歴史とは」「憲法とは」「公民とは」などを必修科目にして、民主主義的な価値観を教えなければいけません。きっかけがなければ、なかなか気づかないものです。

楊海英　留学生に自由民権思想の教養が不可欠というのは大賛成です。日本ではまだ、どの大学もそれはやってないと思う。

楊逸　それをこれから呼びかけていけたらいいですね。大学入学前にそれを試験の必修科目として、合格点を取ったら入学を許可するというように。これはただの思想問題ではなく、論文を書くときに特に重要になります。中国の場合、論文を書く際には〝大きなテーマ〟を語るほうが評価が高いのです。史実や歴史の証拠を積み重ねるという地道な作業を無視するから、中国の研究資料は間違いだらけ。それにいかに気づかせるか、そのためにも倫理道徳観はとても必要です。

したがって中国からの留学生に対しても、「共産主義国の人間はだめだ」とレッテルを貼らず、むしろ積極的に受け入れて、これらを一通り習わせる。そしてまず人間として基本的な倫理道徳観の持ち主として教育し、それから学問し、研究するように仕向けるべきです。

楊海英　私の知り合いに、それを実践した人がいます。ある中国人女性で、「自由と民権思想で読む中国語」といった内容の教科書を編集した人。でも、それを使って授業しようとしたところ、日本人の同僚と中国人の同僚から「反中国」だと糾弾され、結局、大学を辞めざるを得なくなった。先頭に立ったのは、ある日本人女性教授です。

楊逸　ひとりふたりでは限界があります。文部科学省主導で、そういう制度をつくって欲しい。中国だけでなく、例えばベトナムやキューバ、東ヨーロッパなど、共産主義教育の影響を受けていそうな国からの留学生を対象に。中国以外の場合は、もっと独立志向とか持っているかもしれませんが、ともあれ中国のようなしっかり洗脳された人たちを、無防備なまま日本社会に入れて、成功への切符を与える恐ろしさは、日々感じます。自ら進んでこういう思想を取り入れていくのはとても難しい。日本語能力検定試験も大事ですが、その前にこういう試験を実施すべきです。

日本に来た中国人はいま大勢いますが、仮に彼らが日本国籍を取得したとして、根が毛沢東主義の紅衛兵的思想の持ち主だったら、将来、どんな禍根になるかもしれない。

民主主義センターのような機関をつくって、留学生はまずそこで授業を受けて、パスした人から学校に行ける仕組みが必要です。「人権とは何か？」の逆洗脳教育。「逆孔子学院」制度ですね。

櫻井　日本がアメリカに占領されていたとき、日本人の中には共産主義者や社会主義者も多くいました。アメリカ政府は彼らも含めて、アメリカに留学させたり、長期の視察旅行に、全費用もちで招待した。アメリカで見たいものすべてを見せ、行きたいところすべてに行かせたのです。こうしてアメリカのよさを自然に認識させた。それはやがて反米だった人たちの考え方を変える結果にもなりました。日本が反日中国人を招いたり、入国させたりすることにも前向きの意味がありますね。

楊逸　本当にそう思います。

櫻井　同時に「学問とは何か」をきちんと教えることも大事ですね。学問は、いろいろな事実をありのままに見て、それをきちんと評価することから始まります。「南京大虐殺」と言いますが、実際にそうだったのかどうか、様々な説がある。そういう意見もあると認めることが、南京事件を研究する第一歩だということをきちんと教えなければいけない。でもそんなことをしようとすると、朝日新聞を筆頭に日本のメディアが大反対するでしょうね。

楊海英　学生にもつるし上げられてしまう。二十〜三十人の中国人がまとまって声をあげたら、怖いですよ（笑）。

櫻井　オーストラリアでは、実際にその種の事件が起きた。教授が謝罪に追い込まれたりしています。大学として、あるいは国としてしっかりとした立場を持っていないと、中国側に切り崩されます。こちら側の見識と覚悟が問われる場面です。学問・研究の分野でも大いなる戦いが展開されている。共産党体制の中国には、戦う決意で臨まなければならないということでしょう。

楊逸　いま、中国から海外に留学して、手当たり次第に技術を盗むスパイ行為が、大きな問題になっています。研究に対する倫理意識が欠如している。そんな「毛沢東の毒」をいかに解毒していくか。私は長い時間をかけて自分なりに反省を繰り返しながら、切に思います。日本の大学の修士や博士課程の卒業証書をもらった留学生は、故国に戻って大学の先生になる例が多いですね。毛沢東思想の紅衛兵そのままの頭を持って、また教える。結局、日本が後ろ盾になっているということです。それを防ぐためのシステムを構築する必要があります。

櫻井　日本だけではなく、西側諸国への留学生は、民主主義センターで学んでもらうことをすすめます。それを日本が提案するものもひとつの手かもしれません。強制ではないが、そういう選択の余地を残しておかないと、一定の思想、信条の押しつけだとされかねない。幅広い教養の一部という位置づけができればよいですね。

楊逸　ぜひ、それを呼びかけたいですね。

楊海英　中国は留学生を大量動員して圧力をかけるのが得意な国です。二〇〇八年の長野オリンピックのときには数万人を集めました。アメリカでもオーストラリアでも同じことをやっているし、日本でもやっている。

楊逸　日本に来た留学生が中国に戻って大学教授になる場合、大半が行政側、共産党側です。民主派のような少数派は立場が弱いし、何かあると叩かれる。立場上難しいのも現実ですけどね。

眺めているだけでは、加担したのと一緒

櫻井 楊逸さんが政治的発言をするようになったのは、比較的最近ですか。楊逸さんの洗脳が解けたのは、二〇一九年からの香港の騒動がきっかけですか?

楊逸 それ以前から、いろいろ考えるようになっていました。実際迫害された人間として、香港人への同情心が湧き上がってきましたし、もうひとつ、今回のコロナのときに、ネット上で中国からいろんな短い動画が流出してきましたが、「感染の疑いがある」というだけで、理不尽に家の中に閉じ込められて……。

櫻井 建物に釘まで打たれましたね。

楊逸 それで、私が小さい頃、下放されたときの体験がよみがえってきました。下放に対しても、私の母は地主階級で反動派の立場だから、「仕方ないかな」と、漠然と考えていました。でもそうではなかった。政府というのは、国民を守り、助ける立場にあるはずです。それなのになぜ、私たち一家は罪もないのに厳寒の真冬に、窓ガラスもないような家に放り込まれたのか。よくよく考えたら、とっても理不尽に思えてきた。「当たり前じゃない

んだ」と思うようになってきました。

私はそのとき五歳半でした。真冬で死ぬ危険性も高かった。それを承知で、政府は私たちを僻地に追いやった。おかしな話です。でもそれ以上に、被害者である自分が、被害者意識を持っていないことが問題だったんです。

現代の中国人も、それと同じような状況にあります。中国人で、私と同じような被害に遭った人は、みんな多少なりともその意識を持っているはず。それなのに、すっかり忘れてしまって、共産党側に立って平然としている。それどころか、他人を差別し、挙句はリンチに加担する。おかしな話どころではありません。とても恐ろしいことです。

櫻井　香港の民主化が激しく弾圧され、選挙制度が改変され、選挙にさえまともな形で参加できなくなった。それを平然と眺めている中国人たちは、犯罪に加担しているのと一緒ですね。

楊逸　そう。政府の犯罪に加担しているのです。ですからいまの中国政府は「政府」とは名ばかりで、ただの犯罪者と言っていいくらいです。一番怖いのは、今後の中国共産党がどんな手を打ってくるかです。彼らは国連をはじめ、ＷＨＯなど、世界中のいろいろな機関を手先にしようと画策しています。

櫻井　世界全体を「中華風秩序」で覆うのが彼らの戦略目標です。すでに世界大戦後の国際秩序の破壊が始まっているではありませんか。

楊海英　でも、そういう人たちが共産主義を信じているかというと、そうではない。共産主義の理念はすっかり消えて、欲望に目をギラギラさせた、単なる漢民族の塊でしかないのです。少なくとも共産主義の理念はどこにも感じられないし、共産主義を信じる共産党員でもないのです。

楊逸　それにしても、新疆ウイグルのジェノサイド報道の後に、現地の女の子が顔を出して、「我々は自由なんです」と語っているのを見ると、胸が痛みます。

櫻井　そう言わされている。言わなければひどい目にあわされるのです。あるいは洗脳されているのかもしれません。

楊逸　どこもそうです。その環境下にいれば洗脳され、従わないと迫害されるという構図です。

共産党の〝悪の素顔〟を知ってほしい

櫻井　中国の人たちは、ウイグルで起こっている事実を知っているのですか。どこまで知っているのですか。

楊逸　国内の人は知らないでしょう。教育環境と洗脳を使って、嘘を嘘で塗り固めていますから。先ほど話題に出た、情報面の「万里の長城」もありますし。

櫻井　知らされたとしても、信じないかもしれませんね。

楊逸　おそらくそうでしょう。それほど思い込みが激しい。それをいかに解放してあげるかです。少なくとも海外に来た中国人に対してだけでも。

櫻井　中国共産党に都合の悪い事実は知らされない。天安門事件も国民は知らされていない。

楊逸　いまの子は、その背景を知りませんね。いや、事件そのものさえ知らないかもしれない。

櫻井　それを知ったときに彼らが考え始めてくれればいいのですが、それは簡単じゃないでしょうね。中国共産党は、国民にまずいことを知らせないように情報や通信を厳しく制限しています。フェイスブックも閉鎖する。結果、中国国内では情報が行き渡らないけれど、海外に出てきた中国人は、多少なりともわかるようになる。自分たちが知っていたはずの中国の姿が、アメリカや日本、ヨーロッパとは違うことがわかるはずです。

問題は、こんな形で国民の視野を狭めた共産党政権が、それなりに経済的に成功し、強大な軍事力を持って君臨するときに、それに矛盾するようなことは忘れようとする。見ないようにする。すると、ますます中国共産党の力は拡大していくばかりです。これでは「悲劇の地球」に向かって一直線に進むことになります。

楊海英　いま、その瀬戸際に私たちはいることを知って、断固として戦わないといけませんね。

櫻井　そうです。私たちが出版しようとするこの本は、まず多くの日本人に読んでもらいたいですね。中国共産党の悪魔のような実態を知ってもらい、その上で中国に対して描いている幻想を打ち破ることが大事です。そうすれば初めて中国の留学生に対してもちゃんとものが言えるし、中国に対しても、ものが言えるようになる。

楊逸　私も西側に身を置いているから、共産党や習近平体制はいずれ崩れるんじゃないかと思うし、そうなってほしいと願っているのですが、その反面、習近平体制は、予想以上に強いのではないかと、不安になったりもします。

櫻井　強いだろうと思って見れば強いでしょう。その理由はいくつも挙げられます。

でも私はそうは思いません。中国にはいろんな弱みがある。その最大のものは、国民がみんな現実を知らないということです。政府が情報を遮断するので、国民は愚かになっていくばかりです。私たち日本人の強みは、日本にとっていいことでも悪いことでも、事実や真実を追求できることです。そして、それを拡散していくことで、強い力を身につけられるということです。事実は最も雄弁に物語ります。中国では、事実が白日の下に晒されたとたんに共産党は力を失ってしまうのです。

もうひとつの中国の決定的な弱みは、中国共産党は人間を幸せにしないことです。人間が人間らしく生きるには、根源的な自由が必要になります。日本では、たとえ菅総理大臣の悪口を言っても非難されない。日本人ほど、言論をはじめ種々の自由を行使できる幸せな民族はいません。しかし、中国人にはこの自由が与えられていません。

楊逸　中国共産党支配の下では、ほんとうに幸せになっている人なんて、ほとんどいない。

櫻井　そうでしょうね。まず言論の自由がない、政治信条の自由がない、宗教の自由がない。常に監視されている社会。人間にとって何が一番大事かといえば、自分の気持ちに従って生きることが可能であることでしょう。それが阻害されている中国は、致命的な弱点を抱えていると思います。中華人民共和国は、現在、経済は好調だと言われていますが、実体経済を見ると、非常に危険な状態です。外貨は減っているし、貧富の格差拡大の中で、富が国民のために使われていない。人民元をドルに取って代わる国際通貨にしようと、新しい金融システムを考えていますが、これもうまくいくとは限らない。

もうひとつ、国際社会の中で、心底、中国と一緒になって戦っていこうとする国は少ない。日本やアジア諸国、ヨーロッパは、アメリカに文句をつけながらも、自由や人権を守るために、価値観を共有してともにやっていこうという思いがあります。

世界の貧しい国々は、中国が怖いから従いますが、中国が突き進んでいる独裁政治の道を守りたいと願う国民はいないでしょう。また、中国自身は、人口が急速に減ってきて国力が衰えている。労働人口も減り始め、少子化は日本よりもっと早いスピードで進む。その意味では、中国の暴虐を改めさせるのは、この十年が勝負なのです。

もちろんアメリカにとって、勝負の時間はこの二年、とても短いサイクルですが、私は自由主義陣営が勝てないはずはないと思っています。また勝たなければならないとも思っています。中国は「恐ろしい」と思って見ると恐ろしいのですが、「意外に脆い」と思って眺めれば、案外にそうなのです。

楊海英　日本人もアメリカ人もヨーロッパ人も、中国を偉大な国だと思い過ぎることが、もっともいけない。

櫻井　その意味で、私たちはうぬぼれるのではなく、事実をきちんと見て、私たちの側の強みはここにあるということを、認識することが大事ですね。

第五章

「真の独立国」として中国に反撃しよう

上手に嘘をつくのが中国の「美学」

櫻井 日本社会には「親中派」の人が幅広く存在しています。自民党、野党、経済界、研究者、学者、ジャーナリストの中にも少なくない。ひとりひとりの親中派の人が具体的な事例にどう関わっているかはわかりませんが、彼らは何か事があると、「それにはこういう事情がある。だから中国のことを非難できない、あくまで話し合いましょう」と、中国に有利なように状況を解釈して中国を「理解」してしまう。自ら意図しているかどうかはともかく、親中派が結果として中国共産党の民族弾圧や国際法無視に加担していると思っています。

実は私は、何十年も同じ美容師さんに髪を手入れしてもらっているのですが、彼女は創価学会の方です。毎週金曜日に配信しているインターネットの番組「言論テレビ」で、日本の土地が外国人、とりわけ中国人に買われていることを取り上げました。これを規制する法案を自民党がようやくつくった。しかし公明党が反対して閣議決定できなかったことがあります。その後、法案は可決されましたが、公明党が修正を要求して、大事なところが骨抜きにされました。そこで美容師さんにどう思うか尋ねたのです。彼女も「理解に苦しむ」として学会のみなさんの会合で質問したそうです。すると、こう言われたと言います。「中国とはよく話し合うことが大切です」と。話し合いは大事ですが、中国には一向に通じない。彼らはむしろ話し合いを時間稼ぎの手段にしているとしか思えません。南シナ海の問題ではＡＳＥＡＮ（東南アジア諸国連合）の国々と話し合いをしている。話し合いをしながら、海を埋め立て、南シナ海に中国の軍事基地を次々とつくってきた。つまり「話し合いをしましょう」というのは、「自ら望んで騙されます」と言うに等しいのです。

中国相手には、こちらも対抗する力を持つしかありません。日本国土の買収については、法律をつくって正しく規制することです。南シナ海の侵略に対しては、こちら側が中国の侵略を阻止できるだけの軍事力と経済力を持って、国際世論の力にも訴えて、「断固としてあなたの思う通りにはさせない」という構えをつくることです。

楊逸　話し合いが目的になっていては、何の解決にも繋がりませんよね。

櫻井　でも公明党は、「話し合い」という夢に希望を託します。その結果、ずるずると引きずられて、気づいたら抜き差しならないところに追い込まれてしまうのがオチです。「孫子の兵法」で強調されているのは「上手に嘘をつくことがよいことだ」という考えです。相手が気づかないほど上手に嘘をついて、目的を達成するのが上策の勝ち方。「相手を騙すための嘘をつくのは偉い」という教育ですから、日本人とは正反対の考え方です。孫子の兵法の基本は相手の力を利用して勝つことが根幹ですから、嘘をつく、だまし討ちにするのは、褒められこそすれ、決して非難されるべきものではないという考え方ですね。本当に日本人の考え方とは正反対です。

楊逸　その通りですね。「兵は詐欺を厭わず」です。そして孫子の兵法の新しいバージョンは「超限戦」。どんな汚い手を使ってでも、弱いものが強い敵に勝つ方法が語られていて、関連の本も出版されて、軍の関係者に人気です。目的のためには手段を選ばず、なんです。

櫻井　日本人は人がよくて騙されやすい。

楊逸　欧米の先進国は正反対ですよね。「素直」「忠実」が座右の銘。こんなに違うのかと思うと、中国人として恥ずかしくなります。

儒教がいびつな中国人をつくった

櫻井　そうすると、中国人にはモラル意識がないととってよいのでしょうか?

楊逸 それは儒教の悪影響です。「君主に忠誠を尽くせ」と孔子は教えましたが、これは「自分のボスに対しては忠誠を尽くすけれど、ボス以外の人は関係ない」という考え方に通じます。子分は自分のボスには逆らえず、逆らったら殺される運命。だからボス以外に対しては、たとえ友好関係にあっても友情は芽生えない。いざとなったら、どんな手段でも使えということになります。

楊海英 日本人は『論語』や中国の漢籍が大好きですが、比較文化史的に見ると、漢籍や儒教の思想は朝鮮半島と日本にしか伝わっていないのです。万里の長城の北と西側、チベットや東南アジアには行っていない。ベトナムは多少影響がありますが。

私は、「いわゆるシルクロードというけれど、シルクが西へ運ばれたとは確認できない」と述べましたが、思想に関してはなおさらです。たとえばモンゴル人、チベット人、ウイグル人と中国人の価値観の衝突は当たり前です。中国風の価値観はとても非現実的で、我々には受け入れられないからです。儒教は「妻は夫に、子は父に従え。一般人は君主に忠誠を尽くせ」と諭しますが、遊牧社会ではあり得ません。遊牧経済下では男女平等どころか、むしろ女性がすべてをコントロールしているほど、女性の地位が高い。例えば旦那さんが戦死したとしたら、奥さんは一生、貞操を守り続けることはありません。さっさと次の人を見つけるのが、遊牧社会では当たり前。中国の思想は非現実的なので、ユーラシアには伝わっていないのです。

私は、中国思想の総括が目的で、中国で農村調査をしたことがあります。すると、儒教の思想道徳は、漢民族の一般農民から嫌われていることがわかりました。農民を束縛する思想だからです。つまり孔子が語る論語の思想は、「こうあってほしい」という願望論。だから孔子が生前、諸国を周遊して任官活動をしても、どこにも受け入れてもらえなかったのです。非現実的だからです。ですが彼が亡くなってから、政治的に利用された。君主にとっては理想的だからです。これが宋の時代に日本に伝わって、足利幕府が、この思想を統治に利用したというのが経緯です。

その時代、宋は契丹とモンゴルに抑えられていて、到底、武力では勝てないでいました。文化面も同様、宋は単なる地方文化でしかなく、対する草原の文化は世界文化の地位を占めていたからです。そこで宋は、「実は彼らは野蛮人で、ほんとうは宋の文化のほうが優れている」と主張した。のちに魯迅が語った「阿Q精神」です。「ほんとうはオレが偉い」という自己満足の思想で、それを強調した。「旦那が死んだら自分も殉死した」女性の話、「主君が死んだら自らも腹を切った」という〝美談〟をでっち上げ、ありもしない話をつくったのです。それが足利幕府に導入されたのです。
そして、それに日本人が毒されて、中国はすごい国だ、大人の国だとイメージがつくり上げられてしまう。

中国は本当に日本の〝先生〟だったのか

櫻井　いまでも日本の政財界、学界などでは「中国は恩人だ」「日本の先生だ」という言葉がよく聞かれますが、本当にそうなのか、疑問に思っている日本人も多い。

楊海英　孔子、孟子、蔣介石、毛沢東、すべてつくられたイメージが先行しています。日本人は『三国志』『水滸伝』も大好きで、確かにすごいストーリーですが、ドラマはあくまでドラマ。中国の実社会に、そんな痛快な人たちが生きていたという証拠はない。ドラマだからこそ胸が踊り、人物像に生き方が投影できるのです。『水滸伝』の李逵《りき》の二十何人斬りは、ドラマだから面白い。でも現実社会に照らし合わせたら、単なるテロリストでしかない。

楊逸　考えてみたら、いまの中国も無法天国で、決して法治国家とは言えません。私は『孔子さまへの進言』（文藝春秋）という本を出版したことがありますが、儒教の何がいけないかといえば、孔子自身はその目的ではなかったかもしれないが、後世、儒教は強者の味方で、弱者の敵になってしまったからです。「服従」「忠誠」を言い聞かせるので、独裁者に都合のよい宗教となった。思想ではない、明らかに宗教です。たとえ権力者や独裁者、地位が上の人はやりたい放題のことをしていても、弱者はひたすら服従して、奴隷のように働けと説くのと同じ。それがいまの中国です。

中国がなぜこれほどまでに不幸な国なのかを考えると、孔子の説く、人間の本性を認めない思想を大事にしたこと。根本から間違っているからです。それは、漢の武帝の時代からの洗脳教育で強化されました。武帝は春秋戦国時代の思想家を全否定して、孔子のものだけを国家の思想にしようとした。そしてその後、文帝が「科挙」という官僚登用制度を開始し、孔子の思想は立身出世の道具になっていきました。科挙の試験で出題される問題はすべて論語や四書五経。それにだけ精通すればいいということになって、気づかないうちに思想が統制されていくのです。科挙制度以前には中国にも多様性がありましたが、その後は、孔子思想以外は発展しなくなってしまいました。

櫻井　日本もその思想を取り入れて、殉死の美学も含めて、臣従の思想につながっていきました。

楊逸　武士道の「死をもってあがなう」思想も、戦争中の「一億総玉砕」についても、いまもってあういう壮絶な悲劇を美談として語る傾向があります。それは、その思想の奴隷になっているのに気づかないからです。日本の年号も「令和」以前は、ほとんどが論語の一節や漢籍です。

世界を幸福にする「中国分裂」のすすめ

楊海英　そうした中国の思想的状況は、日本にも悪影響を与えています。翻って考えてみると、中国の人たちが幸せだった時代は、春秋戦国時代、五胡十六国時代、五代十国時代。そして元朝と満洲人の清朝の時代です。つまり、支配者が漢人だけでなく、分裂していた時期のほうが中国文化が豊かで、人民が幸福に暮らしていた。それぞれの地域の文化も華やかです。

たとえば仏像をとっても、分裂していた時代のもののほうが美しい。大同の石窟、雲崗の石窟などは、五胡十六国時代の産物で、ギリシャ彫刻のように美しい。西洋人のような風貌をしているのは、東西交易が盛んで、アラブ系の人たちや西洋人も往来していたからです。また、元朝と清朝というモンゴル人、満洲人の政権の下では思想が自由で、出版がほとんど自由だったので、これぞチャンスと、禁止されていた古典が復活していきました。

ただし、しばらくして統一された中央集権国家になると儒教が悪用され、それが天下統一の理論的背景になっていくと、国民が自由を失って、不幸せになる。「大一統」ほど中国の人々にとって不幸な思想はないのです。

ノーベル平和賞を受賞した作家で、獄死した劉暁《りゅうぎょう》波《は》氏に有名な言葉があります。「統一がもし不幸なら、私はそれを放棄する」と。彼が香港とチベットの姿を評して語ったものです。彼は楊逸さんと同じ東北の出身で、昔からモンゴル人、満洲人の姿を知っていますし、日本統治時代のことも両親から聞いているはずなので、それらを総合的に比較できます。彼は、香港はともかく、「チベットは中国とはまったく違う国なんだから、大一統という形で人々に不幸をもたらすのなら、私は反対だ」と叫んだのです。

中国人はあまりにも長く儒教の思想の影響を受け続け、「大一統がいい」と洗脳されてきたから、ここから脱却できない。「台湾も統一、諸民族も統一して、大きければ大きいほどいい」と中国人は考えていますが、これが多くの人に不幸をもたらしているという、発想の転換ができないのです。

楊逸　中国で最初の秦王朝が誕生するのとほぼ同時期に、ヨーロッパ大陸にもローマ帝国が成立していました。その後、中国はずっと大一統の道を模索していきますが、ヨーロッパはそれと逆で、ローマ帝国以後、いくつか短い期間、帝国がありましたが、総じて分裂して小さな都市国家が誕生した。そこでヨーロッパ文化と中国文化と比べたときに、統一を模索せずに独立国家が多数あったら、中国はもっと多様性のある大陸になっていったと思います。現在のヨーロッパと同じような形で。ヨーロッパはＥＵに統合しようとしていますが、成功の見込みはあまりないのでは。私は、経済面のメリットだけを目的に統合を試みるのは、あまりよくないのではないかと感じています。

楊海英　私も賛成です。中国は分裂状態にならない限り、国がよくなりません。中国人が悪いのか、中国共産党が悪いのかといったら、「大一統」が続く限り、中国人の悪い本性は変わらない。共産党も中国人がつくったものですから、卵と鶏、どっちが先かという話になる。それぞれの土地の人間が、それぞれの特性に合った生き方をしていれば、人間本来の問題に立ち返っていけるはずです。でも「大一統」の思想で、固まった集団として動いている限り、思想中毒状況は変わらないでしょう。ただ、大一統の思想は、儒教の誕生以来、共産党に受け継がれるまで二千年の時間が流れているので、洗脳を解いて正常に戻すにも時間がかかります。
楊逸　まず儒教の思想から脱却することが大切。そうしないと、ずっと同じことの繰り返しです。

現代の『論語』は党への服従を強いる

櫻井　文化大革命のとき、「批林批孔」のスローガンがあって、孔子の思想を否定したところがありました。文革が終わったあと、孔子の教えはどうなったのでしょうか？
楊逸　本質は変わっていないはず。そのときどきで使う言葉が違うだけなのです。以前は「儒教」、現代では「共産主義」。要するにお釜の中に入っているご飯を、どう呼ぶかの違いだけ。
楊海英　昔は「皇帝に忠誠」、いまは「党に忠誠」。「私は共産党のために命を捧げます」というのは、「君主のために死にます」というのと同じです。主語が変わっただけで、中国語でいうと「器は変わらない、スープを変える」だけ。

楊逸　「批林批孔」の場合、主目的は「批林」(林彪《りんぴょう》副主席批判)であって「批孔」(孔子批判)ではないのです。「批林」に大義をつけるために、「批孔」が付け足されただけなのです。

楊海英　毛沢東が中国の歴代王朝の指導者と共通している点がひとつあります。毛沢東も例えば明の太祖・朱元璋、魏の武帝・曹操もヤクザでごろつき。社会の底辺出身で、反乱を起こして天子の座に就くという共通のパターンです。草原からの征服王朝の指導者は、いい血筋でないと、そもそもリーダーになれないので、底辺からのし上がることはあり得ない。貴族でなければ、表舞台に出てこないし、秩序を重視するのです。曹操、朱元璋、毛沢東のように底辺からのしあがるというパターンは、草原にはありません。

中国王朝を興した初代皇帝たちに共通しているのは、あらゆることを打破し、あらゆることを否定し、あらゆることを再解釈し、あらゆることを悪用するということです。これが「革命」というものです。「為政革命」というのは、「物事を徹底的に変える」という意味です。朱元璋は大胆にも「孟子」を改ざんしています。孟子の著作の中に有名な言葉がひとつあって、「君子と大衆のどちらが大事かと言えば、民のほうが大事」というもの。これもちろん建前ですが、「民を大事にしなさい。徳治を行いなさい」という建前論。でも朱元璋の場合は、そう聞かれたら怒って、「わしが大事に決まってるではないか」と言った。

そこで、この文言を孟子から削除してしまった。それまでの儒教二千年の歴史で、朱元璋までは誰も、孔子や孟子の言葉を改ざんする人間はいなかった。でも朱元璋はやった。

毛沢東も同様で、孔子や孟子を徹底的に悪用する。都合がいいように再解釈するのです。毛沢東は漢文に通暁し、本人も名文家です。でも彼は古典、漢籍しか読んでない人で、そこで孔子と林彪を結びつけて、林彪糾弾の材料にしたのです。毛沢東は列車に乗って全国〝巡行〟をしましたが、列車に漢籍を積んで、読みながら旅をしています。「人民公社」も彼の発案とされ、一九五七年の議論からスタートするのですが、劉少奇はソ連のコルホーズをモデルにしました。でも毛沢東は、漢の時代の「太平道」信者の組織、のちに黄巾賊の乱の源流になる信者たちをモデルにした。これは一種の理想社会で、誰が来てもご飯が食べられ、宿も無償で提供されるという新宗教なんです。この反乱は後漢の衰退を招き、魏・蜀・呉が鼎立した三国時代に移る一つの契機となったものですが、それがモデルだという。毛沢東はソ連のコルホーズをよく知らない。

櫻井　『毛沢東語録』を読んでいてつくづく感じますが、彼は希代の嘘つきですね。言葉と行動がことごとく正反対です。それなのに堂々と語っているのが、ある意味、すごい。

楊海英　中国の指導者が言うところの儒教というのも、常に孫子の兵法と同じように、政争の相手を倒すためのもの。詐欺の武器に使われるのが儒教、漢籍。歴代王朝で、社会の底辺から、あらゆる手段を使ってのし上がった人がとことん悪用する。習近平も同じ。それは日本人の論語観とはまったく違うものです。

日本人は中国にどう立ち向かうか

楊逸　でも、たとえばウイグル問題、チベット問題、モンゴル問題に対して、日本人はどう対応すればいいのでしょうか。ブログを発信しているだけでは、圧倒的に中国有利の現状は、なかなか変わっていかない……。

櫻井　私は中国が有利だとは思っていません。お二人もたびたび強調していますが、世界は中国のことを過大評価しています。例えば「中国の軍事力は脅威だ」と言います。確かに一九八九年以来、三十年以上、巨額の軍事予算を費やしているのですから、巨大な軍事力が構築されたのは確かです。日本の軍事力は中国の十分の一くらいで、圧倒的に不利かといったら、そうだという面もありますが、まったくそうだとも言えません。世界地図を逆さにしてみると、中国の海への出口は、全部日本列島が塞いでいます。この島々に私たちが上手に軍隊を派遣して、アメリカや他の国々と連携すれば、中国を抑止することは可能です。誰も戦争はしたくありませんが、戦争を避けられない場合、日本が必死に抵抗すれば、中国も大変な犠牲を払わなければならなくなります。彼らは人命などなんとも思わないから、とことん戦うかもしれませんが、彼らだって大きな損害をこうむるのです。そうなれば共産党政権が倒されることもあり得るでしょう。だから中国に明確な意思表示をして、日本に手出しすればタダではすみませんよ、と示すのです。アメリカやヨーロッパ諸国、インド、オーストラリアなどと力を合わせれば、それは可能になります。

楊海英　中国の軍事力を背景にした戦略的な姿勢を、日本もアメリカもヨーロッパ諸国もアジア諸国も、どの国も受け入れていないということも大きいですよね。アフリカ諸国ですら、シンパシーを持っているわけではない。

櫻井　そう、ここでも抑止力を働かせる余地は充分にあります。現在、中国はコロナ禍からいち早く脱出して、経済が好調だと言われますが、中国当局の報告ほどあてにならないものはない。中国経済の責任者である李克強首相自身は今年の全人代で「ＧＤＰ成長率を六％以上」と、やや低めに設定しました。「予想以上に低い」と世界は観測していますが、中央政府が高めの目標を設定すれば、地方政府はその数字に合わせてきます。そして無用な借り入れをして無駄なプロジェクトを組み、統計上GDPを増やすことなどが行われてきました。そこで今回は、その間違いを繰り返さないために、低めに設定したのではないかと目されています。

楊海英 六％成長でも、いまの世界では、嘘のようなすごい数字ですけれどね。

櫻井 でもこの設定自体があてにならない。李克強首相自身が「中国の数字はあてにならない」と語っていたのは有名な話です。地方政府など、下から上がってきた数字は、すべて中央政府が喜ぶように〝修正〟されていて、そんなものを信用していたら判断を誤る。公然の秘密です。

楊海英 ほんとうに経済が好調なら、「全人代」で、なぜ五カ年計画の目標数値を発表しなかったのでしょうかね。

櫻井 予想以上に悪化しているのでしょうね。というのは、経済運営方法が理にかなっていないから。過度の国営企業への集中、そこに経済的資源、人的資源を集中させて企業力を強めようとするのが中国の戦略ですが、その一方でジャック・マーのアリババに対しては規制の方向で動いている。子会社アントの株式上場にもストップをかけ、「アリババを譲渡しろ」といった意味合いのことを共産党が口にし始めました。アリババは真の民間企業とは言えませんが、その「民間」の活力を削ぐ方向が打ち出された背景には、習近平が、「このままでは自分たちのコントロールが効かなくなる」「その力がやがて自分に刃向かってくる」と心配しているからに他なりません。恐怖心です。でもこれは中国経済にとって大きなマイナスです。ほんとうに中国経済がうまくいくとは、とても思えないのです。

楊逸 中国国民が幸せな時代は「大一統」されていない時代だとしたら、いまは最悪。共産党一党独裁の色をますます強めようとしている。教育、会社経営、国際社会に対してさえも中国共産党の考え方を強要する。うまくいくはずがありません。

楊海英 なによりも中国がウイグル人にしていること、モンゴル人にしていること、チベット人にしていることは、世界の共感を絶対に得られません。心の底から友人でありたい、中国に協力したいと思う国は、世界中のどこにもない。それでも中国は力を背景に、貧しい発展途上の国々を経済や軍事で縛り上げて、国連投票で中国のいいなりにさせることができるかもしれません。でもそれは中国が好きだからでなくて、従ったほうが利益を手にできるとか、制裁を受けないとかの〝方便〟からくるだけ。

櫻井 そう考えると、大国として君臨したい中国の未来は砂上の楼閣のような脆さを持っています。私たちが考えるより、展望ははるかに暗い。中国国内を見ても、共産党員は約九千万人と言われていますが、他の十三億人の中に、「このままの共産党独裁でいいのか」と疑問を持っているかもしれません。

楊海英　ですから日本人も、中国に対し過度の恐怖心を持たないほうがいいと思います。「中国には勝てる。また勝たなければいけない」と決意するのが、いま私たちがなすべきことですね。

櫻井　中国に圧倒されて、中国化された世界では生きていく価値がない。歴史の流れは、私たちの側に有利だと自覚することが大事です。共産党のもとで誰が幸せか？　習近平とその家族は幸せでしょうが、その下にいる共産党幹部だって、いつ粛清されるかと、戦々恐々としているのではないですか？

中国人の〝洗脳〟をいかに解くか

楊逸　大筋ではごもっともだと思いますが、一部には異論があります。残念ながら、一般の人々は洗脳されていて「中国ほどいい国はない」という考え方が徹底していることが問題。彼らの耳には偏った情報しか入ってこないので、「アメリカはコロナで崩壊しそうになっている」「日本も医療崩壊が迫っている」なんて、思い込んでいる人が多い。「それに比べて、我が国は立派だ」という具合。

また、海外にある中国の「大外宣」、つまりプロパガンダメディアが中国に有利な情報を流すこともあります。アメリカのCNNなども中国の肩を持っています。というのは、プロパガンダメディアの中に中国人記者やメディア関係者が数多く入り込んでいて、英語版の嘘のニュースをつくり、「CNN掲載のニュースだから間違いない」と、わざと中国に逆輸入しています。日本でもたくさんある中国系メディアあるいは中共関係者が背後で操っている日本報道機関が、情報を中国に有利になるように巧妙に加工して流します。「コロナ対策で一番成功しているのは中国だ」などと伝えられています。ですから彼らは、自分たちを不幸だとは思っていません。外はどういう世界か知らないからです。民主主義の価値がわかっていない。

楊海英　中国が築いた万里の長城は、外敵の侵入を阻止するためといわれていますが、実はそうではありません。中国人が自由なモンゴル高原、中央アジアに逃げないようにするためのものなんです。万里の長城なんて、モンゴルの騎馬隊なら簡単に越えてしまいます。万里の長城で中国人を閉じ込め、儒教で洗脳して皇帝の権力を維持してきた。孫子の兵法もそうです。すべて自分に有利なように画策する。

楊逸 現代の中国皇帝、共産党の習近平は、新しい「万里の長城」をつくろうとしているんですね。インターネットの普及が始まったときに、彼らはすぐにファイヤーウォールをつくって、国内に〝有害な〟情報が入らないように、中国人が外部の情報に接することのないようにしました。コロナ禍も彼らにとって有利です。中国国内でどれほどの死者が出ているのか、我々は知る由もない。中国当局が意図的に数字を改ざんしているからです。常識的に考えれば、世界で約二百七十万人もの死者が出ている現状で、発生源の中国で数百人の死者ということは考えられない。捏造された数字と考えるのが当たり前でしょう。

楊海英 でも、情報がブロックされた社会でも、知らずに生きている国民は、「頭の中がお花畑」。私にも「早く日本から帰って来なさい。中国はいまナンバーツーだけど、もうすぐ一位になるから、早いとこ帰ってきたほうがいいよ」と、真顔で言う。心底、そう思っているんです。おそらく万里の長城の時代でも、「蒙古なんて行ってどうする？　突厥や満洲なんて野蛮人が住むところだよ。こっちのほうが幸せだよ」と洗脳してきたんです。でも中国から脱出した人は、みんな帰らないでしょう。

櫻井 中国はそのように、常に新しい時代の「壁」をつくり上げて、自国民をコントロールする術に長けています。では次にどうするのか？　彼らは壁の中で生きるのはうまいのですが、その壁を突破する術には長けていない。中国秩序は決して世界秩序にはなりません。決して世界が受け入れないはずです。

各国からブーイングを浴びる「一帯一路」

楊海英　現在、中国は「一帯一路」政策を遂行しています。陸路のシルクロード伝いにドイツまで行き来しようという構想。私は一昨年、中央アジアのカザフスタンとウズベキスタンに行きました。中国の一帯一路政策は、この各国の沿線でドルをもたらしているとされていますが、実態は大違い。新疆ウイグル自治区からカザフスタンを縦断して、ロシアまで行く高速道路があります。ところがその高速道路は、中国からカザフスタン国内に入ったら、途端にインターチェンジの数が少なくなる。カザフスタンの中央部に一カ所、国内をそろそろ出るあたりに一カ所しかない。カザフスタンという国は東西約五千キロ。つまり、カザフ人自身が利用することができない。

楊逸　高速道路があっても、入れないということですか？

楊海英　たとえば、ある村のど真ん中に高速道路が通っているので遮断されて、村人が自由に行き来できなくなってしまった。反対側の村に行きたくても、数百キロ迂回しなければならない。明らかな分断です。

櫻井　カザフスタン自身がそこにインターチェンジをつくることはできないのですか。

楊海英　資金がないこともあるけれど、そもそも計画自体をよく知らされていなかった。完成してからびっくりしたほどです。これらのインフラ整備は、中国が計画し中国企業が施工します。受け入れ国の意向があれば、わずかに修正されることはありますが、根本的な修正が加えられることはありません。

そんな形で中国の影響力が強まっている国が、隣国のキルギスです。キルギスは人口六百五十万人の国ですが、中央アジアでは政治的自由度がもっとも高く、かつては「民主主義の島」と呼ばれていたほどです。野党の活動も活発で、ある程度競争的な選挙が行われてきました。そんな中で、大統領への権力集中と私利私欲と露骨な縁故主義が国民の怒りを買い、大統領が辞任に追い込まれたのですが、選挙不正と権力者の腐敗に抗議して立ち上がった人々の期待とは裏腹に、主導権を握ったのは独裁志向の強い人物一派だったのです。この陰で中国が暗躍していたと噂されています。

櫻井　親中派になってしまったというわけですか？

楊海英　明らかな親中派とは言えませんが、かなりの便宜を図ってもらっているようです。アンダーマネーも渡っているらしい。キルギスで金鉱が発見されると、途端に中国は周辺に工場を建設したのですが、そこで現地の人間を雇おうとしない。労働者はもちろん、コックや性産業の女性まで、すべて中国人。せめて現地の人間を雇い入れてドルを還元したり、現地と交流したらいいのに、開発から作業まで独占して、利益を持ち帰る。一部は現地に渡るかもしれませんが、それは政治家や政府の役人がポケットに入れてしまうのです。前大統領が失脚したのも、この影響だと言われています。アフリカでも同じです。

櫻井　それでは現地は何の恩恵も受けない、むしろ迷惑でしかない。でも中国はアフリカ諸国にも東南アジア諸国にも、まったく同じ手法で、多くのプロジェクトをこなしてきました。

楊海英　キルギスとラオスは、中国の最大の債務国です。貧しい国々は潤沢な貸付金に目が眩んで、それが破滅への道だとわかっていても、踏みとどまることができないのです。しかし、「一帯一路」という中国主導の開発計画に乗っても、まったく現地の利益につながらないので、現地から反発を受けています。

日本は海を隔てているから、海を越えて中国から観光客が押し寄せ、多少、顰蹙を買うような行動をしても、片目つぶって人民元を払ってもらえれば我慢できるレベル。しかし、陸路ではそうはいきません。現地は辟易しています。まして中国の思想は、現代まで万里の長城を越えたことがないから、文化的な摩擦にも激しいものがあります。

櫻井　「中国の思想は万里の長城を越えて受け入れられたことがない」という言葉は日本人にわかりやすいですね。「中国共産党が二〇四九年の建国百年までに世界の諸民族の中でそびえ立つ」と宣伝していますが、世界が中国の価値観というものを共有して、中国共産党の教えに従ってみんなが幸せになるなんてこと、あり得ない。

チャイナマネーに牛耳られるハリウッド

楊逸　文化的な浸透も激しいですね。前の章で挙げた孔子学院がその一例ですが、アメリカのハリウッド映画のように、目に見えない形で浸透してくる例もあります。ハリウッドで映画を製作したくても、いまは中国市場を視野に入れないと興行収入が立ち行かないということで、スポンサーが集まらないケースがあります。作品の内容審査を受けてからでないと、製作にとりかかれない。ましてや、少しでも中国に批判的なニュアンスが含まれていると、すぐにボイコットされてしまう。例えばチベットに好意的な内容だと、激しいブーイングを浴びます。バスケットボールや、イタリアの有名なファッションメーカーなども、こうした声にさらされている。大物歌手も中国の意向を気にしなければ、北京や上海でコンサートが開けなくなっています。中国的価値観、中国的独裁文化を、目に見えない形で世界に輸出しているのです。世界中に影響力を与える文化に、中国の浸透がどれだけひどいか……。

櫻井　中国マネーの力をあてにしたい向きは多いでしょう。ハリウッドも歌手も映画俳優もみんな中国になびくので影響力は大きいけれど、本当に人々が中国共産党のやり方に賛同しているかというと、そうではないと思います。

確かに経済力は無視できません。日本も目の前の利益がほしいために中国に迎合しようとする財界人は少なくありません。アメリカだってそうです。でもその先に何が待っているかというと、中国共産党に牛耳られる恐怖です。共産党の価値観に従わなければビジネスもできず、技術も奪われる。そういうことも視野に入れながら行動しなければいけない時期に入ってきていますね。

楊海英　文化業界、政財界への浸透は、もうかなりの程度まで進んでいます。でも、進めば進むほど、反動は大きいはずです。カザフスタンだって、次に高速道路を建設するかというと、決してやらないでしょう。キルギスのように、政権まで乗っ取られてしまいかねないから。したがって、いったんはみんな中国に目が向かいますが、長く続くとは思えない。ドイツもフランスもイギリスも、フリゲート艦や空母を南シナ海へ派遣しつつあるように、国際社会がいま、覚醒しつつあります。

櫻井　繰り返しになりますが、私たちはいままであまりにも中国のことを知らなすぎて、「大国だ、歴史が長くて奥が深い国だ」と勝手に想像して、実体以上に評価していた。でもウイグル問題や南シナ海の問題、ウイルスの問題で、急速に化けの皮が剝がれてきた気がします。

楊逸　新型コロナウイルスが果たした役割は大きいですね。「中国はあんなことまでするんだ」とみんなが気づきました。コロナの猛威を知っていながら実態を隠し、五百万人もの中国人をそのまま武漢から出して、大勢を海外に行かせて、ウイルスを世界にまき散らした。そしていち早く武漢を閉鎖して、真の情報を知らせず、何万人も死んだはずなのに「何百人だ」と事実を隠蔽し、世界を欺いてきたのです。

櫻井　世界が実態を知る前に、世界各国からマスクや医療品を大量に中国に送らせた。そして「もっとも早く押さえ込んだから」と、海外に医療援助をして「中国こそ善意の国だ」と宣伝したわけです。しかし事実が次第に明らかになって、「こんなに悪意に満ちた国があるのか」ということを世界が実感する結果になりました。ウイルス問題で、私たちの側の経済的損失や人命被害は多大ですが、これがやがてブーメランとなって中国に戻っていき、必ず亡くなった人たちが恨みを晴らすと思います。

楊逸　新型コロナウイルス関連で、中国が膨大な利益を上げたという報告もあります。二〇二〇年一二月、アメリカの「自由亜洲」という中国語放送に「新コロナウイルス関連で中国は膨大な収益を上げた」という北京大学の学者の研究報告が取り上げられました。報告者は北京大学国家発展研究員教授で「中国健康発展研究中心」主任の李玲氏。彼女は昨年一一月二一日、広州でのシンポジウムで「二〇二〇年の武漢肺炎対策などは、中国国内生産分野で膨大な収益をもたらした。大部分は、感染者が死亡したり、障害が残るのを防ぐ措置に伴うものである」と報告しています。

日本は危機を直視し、スパイ防止法を急げ

櫻井　問題は、日本政府には中国の力を削ぐような戦略も、それを考えるべき部署もないことです。例えば、モンゴルやウイグルでの活動を潰そうと、日本で暗躍する工作員を取り締まる部署もありません。日本は国家としてのあり方を根本的に考え直さなければならないと思うのです。

楊海英　日本で戦略が練れないのは、日本人の頭が悪いのではなく、アメリカに束縛されて自縄自縛の状態にあり、「ふつうの国」になっていないからです。日本の領土である尖閣諸島に中国船が押し寄せて来ても、それを阻止する手立てがない。憲法九条の問題でも、改憲する、しない以前に、それが必要なのかどうかの議論さえできない。思考停止状態に陥っているからです。中国が「自分は世界の中心だ」なんていう自己満足というか、思考錯乱状態に陥っているとすれば、日本人も同じ構造にあります。自縄自縛の枠の中に嵌まってしまって、「対話と話し合い」で物事が解決すると思い込んでいる。

櫻井　中国が日本を飲み込もうとしていますし、世界中が武漢ウイルスのパンデミックで

混乱状態にあるのに、日本はいわゆる平和ボケから覚醒していません。戦後七十五年を過ぎて、ようやく憲法改正問題の論議も広がってきたと思ったら、また後退しています。テンポが遅くて、緊迫する世界情勢についていけません。一刻も早く、「正常な国家」にならないと、危機に対抗できません。

日本人は世界一勤勉な民族で、清潔好きで、文明度が高い。とても優れた国民ですが、最大の欠点は危機を直視しないところです。簡単に相手を信頼してしまう。それこそ「島国根性」だと思います。ずっと日本列島の中に暮らしていて、大きな危険が迫ったことが数えるほどしかないからです。

でも、危機はいま眼前に迫っています。アメリカも「日本よ、普通の国になれ」と期待しているはずです。普通の国になれたら、中国に対しての防諜対策を徹底したり、スパイ活動を取り締まったり、情報の取得制限をしたりできます。中国が日本に多くの工作員を送り込んでいるように、日本も情報マンを派遣して、中国を牽制することができます。

楊逸　中国共産党は世界平和の一番の弊害であり脅威でもあります。共産党体制を崩壊させること、中国を民主化することは、今後の日本をはじめ、西側諸国の対中政策を制定する際の指標や方向性にしてほしいと思います。

日本のワイドショーは「隠れ親中派」か

楊逸　日本と中国の関係というのは微妙なもので、中国はここ二十年ぐらい、巧妙なプロパガンダで、さまざまな分野に浸透してきています。まるでコロナウイルスのようです。ときには日本の大手メディアにまで入り込んでいる。日本のワイドショーが、新しく就任した中国外務省のスポークスマンに好感を持ち、「エリートだ」とか「日本通だ」などと好意的な報道をすると、多くの日本人の意識の中にそれが刷り込まれます。印象的なのは、ファーウェイの孟晩舟副社長がカナダで逮捕されたとき、日本人コメンテーターの誰かが「地震被害の支援をしてくれた、いい人ですよ」などとコメントします。こうした美談が流布され、宣伝効果をもたらします。

コロナ騒動の最初の頃、「中国でマスクが足りなくて困っている」という報道がされたとき、街頭で募金活動をするチャイナドレスの美女の姿が、日本の大新聞に掲載されました。こうした〝美談〟の裏には、中国大使館の工作があるのです。そして日本からマスクも消毒液も消えてしまった……。

櫻井　それなのに、小池都知事は医療用防護服を二十万着以上も中国に送りました。そのあと、日本では不足してしまった。小池さんは、こうしたことを都民にきちんと説明すべきですが、まったくしていません。

楊逸　日本の政治家の間にも、中国がコロナ対策で大変だったとき、給料天引きで中国に支援金を送ろうという運動がありました。結局、実現しませんでしたが。こういう事態に直面するたびに、日本での「声」が同質になるんですね。「一緒に乗り越えよう」という美談にしてしまって、背景などを深く考えない。日本人は心底美談が好きな民族だと思いますね。

櫻井　夢見る人々かもしれません。

楊逸　繰り返しますが、「中国が倒れたら日本も終わり」という意識の持ち主は多い。日本人は、知らずに中国に洗脳されてるのです。観光客のインバウンドがなければ銀座の商店街は立ち行かなくなり、中国の留学生がいなくなれば、大学経営もピンチに陥る。だから中国が大事なビジネスパートナーという考え方が植えつけられています。いかにこの呪縛を解いていくか……。オーストラリアのように、「中国向けにワインが輸出できなければ、別の道を考える」という強い姿勢を取れるかどうか。日本の全国民が覚悟して対峙しなければならない問題です。

「真の独立国」にならないと日本は中国と戦えない

櫻井　日本はGHQに戦後体制を作り上げられて以来、そこからまったく進んでいない。GHQの狙いは、日本を「国家でなくしてしまう」ということです。戦後体制を見ると日本は、「普通の独立国」ではなくなっています。一九五二年発効のサンフランシスコ講和条約で独立を回復したときに、いち早く憲法改正をすべきでしたけれど、手をつけなかった。その後も経済だけを重視して、憲法改正から目をそらしてきた。この結果、日本は土台が崩れたままです。しかし、それに気づいていない人たちや、これが当たり前と思っている人が多い。

楊逸　メディアも、その考え方を醸成し続けていますしね。

櫻井　私は時々、日本が独立国としての気概と基盤を取り戻すのは、もう遅すぎるのではないかと思ったりします。「やらなきゃ」と立ち上がったときにはもう遅く、すでに中国に飲み込まれているのではないか、とさえ思います。でも、一瞬そう思って、すぐに思い直します。いま頑張ればまだ大丈夫だと。だから頑張り続けましょう。

それでも日本人ですから、日本を愛しています。命の限り、問題提起をして、世論と政治家に働きかけ、この国をきちんとした独立国に作り直す気持ちを持ち続けたい。私が生きている間にやり遂げられるかどうかはわかりません。でも、やり遂げてから死にたいと思います。

日本人は現実を見ないし、情報に対してとても不誠実で、知的怠惰の極みです。昔の日本人は凛としていましたが、戦後は日本人の美点が失われ続けているのではないか。取り戻すことが可能かどうかわかりませんが、一日も早く取り戻さなければ、中国に飲み込まれるかアメリカに飲み込まれるか、どちらかになるでしょう。いま日本が自覚をして、価値観を共有するアメリカとともに中国と戦う決意を固める。その上で、早急に、真剣に対策を練り、実現していく。それが、私たち日本人に期待される課題です。大丈夫です。決意してやり抜きましょう。

おわりに　危機は迫っている！　やられる前に阻止しよう……

楊逸

春が来た。桜が咲いて、散り始め、あっという間に葉桜になっていきました。間中、私は花見したい衝動をグッと堪え、自宅に籠って台湾産のパイナップルを頬張りながら、ネットで流行りの動画を見ていました。

中国はまた自虐的な愛国ブームが起きたらしい。ナイキの靴にガソリンを注いで火をつける青年や学生だの、H＆Mのドレスにハサミを入れる整形美人の女だの、これまでステータスを誇示するために大枚をはたいて手に入れたブランド品の数々をライターとハサミでチリチリに破壊して、身体に存在するかどうかもわかっていない、幻の「愛国心」をむりやり作り上げて、SNSに流したようです。

しかしこうした「人民の声」が上がるより前に、H＆M製品はすでに、中国のネット大手アリババや京東集団が独占するショッピングサイトから抹消され、姿が見なくなっていました。でもそんなことは関係ありません。党の「呼びかけ」に素直に従って、「抵制辱華品牌従我做起（中国侮辱の海外ブランドを私が率先してボイコットする）」のスローガンを叫んで、「愛国心」を見せなければいけません。動画の中で悲壮かつ憤慨の表情と、党が指し示す攻撃目標に「戦闘姿勢」で向かうのは、奴隷たるものの役目なのですから。

ことの発端は、H＆Mなど世界的有名ブランドが、中国新疆ウイグル自治区における強制労働の情報に懸念を示し、昨年9月に「新疆綿」の使用停止を発表したことでした。半年も過ぎて、なぜかこの3月の末になって、共青団（中国共産主義青年団）をはじめ、人民解放軍など世論をリードする共産党組織は微博（ウェイボ）で、これを激しく非難し、不買運動を呼び掛けたのです。

「中国で稼ぎたいくせに誤った憶測を広げ、新疆綿をボイコットするとは、虫がよすぎる」のだ、と。怒り心頭の厳しい口調で、ついでに本音がポロリ。

「金がほしけりゃ言うことを聞け。でなければこのざまだ」

というわけで、H＆Mなどが見せしめの吊るしあげに遭ってしまいました。

彼らの狙い通り、横柄無理な「態度」で脅したことは、すぐに効果が現れました。「ウイグル人権法」認定を検討している日本国会では、「人権侵害の証拠がない」などとして反対する意見が出て、減速しそうになっています。

欧米の様々な人権団体によるウイグル問題の調査報告書や、英BBCが報道したウイグルの強制収容所からの生還者による多くの証言を見ていなかったのか、あるいはわざと無視したのか。なんだか悲しい。無力感にも襲われます。

「私にできることは、銀座のH&Mで買い物したりするほかにもきっと何かがあります」――ここ一年耳にタコができるほど自分に言い聞かせた言葉が、また聞こえてきます。声をいっそう大きく上げたり、「ウイグル人権法」を進める署名運動を支持し、署名したりして、心が折れないために、これまで以上に勤しんで行動するようになりました。

中国共産党の迫害に苦しんでいるウイグル人を助けたいというだけではありません。中共政権の蛮行をこのまま放任しておくと、やがて魔の手が伸びてきて、自由世界に逃れて生き延びる私のような海外華人も、日本人も、遅かれ早かれ、いまのウイグル人と同じ目に遭わされてしまいます。危機は刻一刻と迫りきています。やられる前に阻止しなければと……。

そんな思いを抱えているのは私だけではありませんでした。今回ワック社の計らいで櫻井よしこ先生、楊海英先生のお二方《ふたかた》と鼎談する機会を得て、初対面にもかかわらず、「知音《ちいん》」

（故事熟語。自分をよく理解してくれている親友）の情すら覚えたのです。二人の先輩のバイタリティー、素晴らしい行動力と影響力を、身近に感じて、励まされ、大変心強くなったのです。

「中共に意図的に甘い蜜を吸わされた日本は、もう重度の糖尿病患者になってしまったのではないか」と絶望的になっていた私は、「足一本切ったとしても、日本はまた立ち上がりますし、必ず立ち上がらせるのです」との櫻井先生の言葉に希望が見えました。

立ち上がってほしい。中共の邪悪に気づいていち早く立ち上がって、かつて世界経済をリードしていた強い日本に戻ってほしい、という切なる願いを、この鼎談本にいっぱいいっぱい詰めこみました。

幸いなことに、今世界の潮流は大きくうねっています。アメリカトランプ政権が主導した米中貿易交渉の末、経済のディカプリングへの動きや、今年一月十九日ポンペオ前米国務長官による、アメリカによる中国「ジェノサイド認定」の発表などのおかげで、中国が追いつめられる一方、欧米諸国も対中政策を見直し始めました。とりわけここ最近、中国の「ジェノサイド」を認定する国が相次いでおり、「中共離れ」が進み、これこそ、半年遅れて中国で「ボイコット運動」が起きた背景であるかと思われます。

もう火蓋は切られました。日本はどうします？　立ち上がるならもう、いましかないのです！　本書によって私たちの思いが届き、より多くの方が「立ち上がる日本」の支えになっていただけることを願っています。

おわりに　留学生たちに平穏な勉学の環境を

楊海英

大学で教えている立場上、近くには留学生も大勢いる。今、この留学生たちにも中国の魔の手が伸びて来て、安心して勉学に励むことができないでいる。

事の発端は昨年（二〇二〇年）夏に勃発した内モンゴル自治区の民族問題だ。秋からモンゴル語教育を大幅に削減して中国語に切り替えるという一方的な強硬策が導入され、「モンゴル人の母語は中国語だ」との洗脳工作も強制された。自治区のモンゴル人は強く反発したし、同胞の国、モンゴル国からも抗議の声が上がった。中国政府は真摯に対応せずに弾圧を強め、一万人以上が逮捕された、と欧米の人権団体は報道している。

静岡大学で学ぶモンゴル人留学生の親族も公安に連行されて行方不明となったままだ。監禁されて「政治学習」を強制されているか、秘密の裁判にかけられたか、家族に何の知らせもないので、学生も落ち着いて勉強できない。別のモンゴル人学生の場合は、公安当局者が実家にやって来て、日本での電話番号を提出させられた。親とのビデオ・チャット中に突然、公安関係者が現れて、警告された。

極めつけは、「反動教授である楊海英の日常を監視し、報告書を寄せてくれたら、学費の面倒を見る」と、女子学生の家族を執拗に強迫した例である。私が以前から中国の民族問題について研究してきたことで、「反動教授」のレッテルが張られている。ここに挙げたのは決して個別の事例ではない。他大学のモンゴル人留学生も同じように、中国政府からの恫喝に怯えている。

ウイグル人もしかり。静岡県のある公立大学に来ていたウイグル人女子学生がゼミで中国政府によるジェノサイドの実態について語ったところ、中国人学生たちから集中砲火を浴びせられた。「偉大な祖国の顔に泥を塗ったテロリスト」だと吊し上げられた。中国人学生は民主主義国家にいても、独裁国を称賛する傾向が強いのだ。集団攻撃されたウイグル人学生は私のところに避難してきたが、結局は北米に亡命せざるを得なかった。日本が守ってくれない、と彼女は失望の念を隠さなかった。

留学生とはいえ、日本にいる以上は日本の法律によって守られている。日本にいる学生たちの平穏な勉学環境が、中国によって破壊されるのは、明らかに内政干渉にあたる。日本政府の毅然たる対応を求めたいものである。

中国共産党百年・怪物となった現代史

「一つの幽霊がヨーロッパを彷徨《さまよ》っている。共産主義という幽霊だ」

これはマルクスとエンゲルスの共著『共産党宣言』の冒頭の名句である。「幽霊」は何を指すかも諸説があるが、人間の生血を吸って巨大化した怪物だ、との哲学的解釈に私は首肯している。そして、二十世紀最大の怪物幽霊は、中国共産党（中共）以外にない。怪物中共は今年で結党百周年を迎えるので、その歴史を振り返ってみる必要があろう。

中共という幽霊の生みの親は日本である。その創設者たちの中の李大釗《りだいしょう》は早稲田大学政治学科の出身で、陳独秀は新宿の成城学校で薫陶を受けていた。その他の主要なメンバーたちも皆、大なり小なり日本経験を共有していた。近代の自由な気風が定着した東京で共産主義思想の著作を読み漁り、帰国後に革命運動を起こすのは、一九四五年までの中国の知識人たちの共通した思想的・政治的遍歴であった。何よりも、共産という言葉自体が日本から逆輸入されたものだ。中共が一九四九年に打ち立てた「中華人民共和国」という怪物国家そのものの名称に、「人民」と「共和」という日本が創成した近代思想的概念が四字も組み込まれている事実を、今日の中国人は果たして認識しているのだろうか。

中共とは一卵性双生児のような政党が、国民党だった。こちらも、その創設者の孫文は日本とのゆかりが深いし、彼の後継者たち、例えば蔣介石も日本に留学していたのは周知の事実である。中華民国内で反乱を起こし、南中国で「中華ソヴィエト共和国」をつくった中共はその憲法の中で、諸民族の自決権を認めていた。内モンゴルとチベット、それに新疆とは少なくとも連邦制を組み、極力、彼らの独立を支持するとのリベラルな政策を標榜していた。

諸民族の独立どころか、存在すら否定していた国民政府は中共掃討に乗り出す。敗れていく中共はその不名誉な逃亡を「北上抗日」と言い換えた。内モンゴルに入って、満洲国の日本軍と戦う、とのスローガンだった。当の内モンゴル人は日本軍の力を借りて中国からの独立を目指していたのを知った毛沢東は一九三五年末に「中華ソヴィエト共和国対内モンゴル宣言書」を公布し、内モンゴル人はチンギス・ハーンの子孫で、独立する権利を有する、と語っていた。

毛の宣言を信じたモンゴル人は当然、「北上」してきた中共軍を攻撃しなかったので、彼らは内モンゴル南部と陝西省北部の延安に割拠して生き延びた。毛の軍隊は国民政府軍が戦う前線に行こうとしなかったが、宣伝はうまかった。アメリカ人ジャーナリストで、共産主義シンパのエドガー・スノーを延安に招待して、国民政府軍の包囲網を突破した武勇談を語った。毛自身の添削を経て出版されたスノーの『中国の赤い星』（ちくま学芸文庫）は世界的ベストセラーとなり、日本軍と死闘を繰り返す国民政府軍よりも、中共こそが真の抗日勢力だとの神話を作り上げた。同書は戦後日本の学界と市民にも悪影響を与え続け、日本は「正義の軍隊」に負けたとの間違ったイメージを定着させてしまった。実際の中共軍は抗日どころか、国民政府軍を背後から攻撃し、アヘンを栽培して人民に毒を販売していたことは、今日では広く知られている。

日本との戦闘で疲弊しきった国民政府を台湾に追い払った中共は人民に対して善政を行ったかというと、答えは否だ。同党はまず諸民族に約束していた自決権、即ち分離独立権を否定し、限られた地域自治権しか付与しなかった。中国人即ち漢人の土地と遊牧民の草原を略奪して公有化し、一九五八年に人民公社という漢代の秘密結社を彷彿とさせる制度を全国に定着させた。公有化政策の結果、およそ三千万人が餓死した。

続いて一九六六年から文化大革命を発動し、アメリカの社会学者の最新の算定によると、一九六九年までだけでも少なくとも百六十万人が殺害されたという。分離独立権を与える、と騙された内モンゴル人は三十四万人が逮捕され、十二万人が暴力を受けて負傷し、三万近くの人が殺された。まさに死屍累々の建党史と言っていい。

国際的に孤立していた中共は一九七二年に「生みの親」の日本と外交関係を結んだ。賠償金は不要、との寛大のパフォーマンスを演じて日本の政治家を虜にした。善良な日本国民は国を挙げて中国の復興に尽力し、賠償金以上の巨額の援助が投じられた。日本の援助で強力な軍隊を養うようになった中共はついに陸上から海上へと進出し、南シナ海を自国の海として要塞化したし、沖縄県尖閣諸島も自国領だと主張するほどに豹変した。

陸上での中共は相変わらず諸民族を弾圧し続けている。ウイグル人を百万人単位で強制収容施設に入れ、内モンゴルでは母語による教育権を剝奪した。そして、イギリスから返還された香港でも容赦なく市民と学生の民主化の運動を弾圧している。

中共の研究所から出た可能性もある新型肺炎は一昨年末からパンデミックを惹き起こし、一億人の感染者と二百万人近い死者をもたらしているので、まさに怪物の所業である。生みの親としての責務からも、日本は中共と戦わなければならないだろう。

櫻井よしこ（さくらい よしこ）
ベトナム生まれ。ハワイ州立大学卒業。「クリスチャン・サイエンス・モニター」紙東京支局員、日本テレビ・ニュースキャスターを経てフリーに。大宅壮一ノンフィクション賞、正論大賞受賞。国家基本問題研究所理事長。「言論テレビ」キャスター。『親中派の嘘』ほか著書多数。

楊 逸（ヤン イー）
1964年、中国ハルビン生まれ。87年留学生として来日。95年お茶の水女子大学卒業（地理学専攻）。2008年『時が滲む朝』で、日本語を母語としない作家で初めて芥川賞受賞。著書多数。現在、日本大学芸術学部教授。

楊 海英（よう かいえい）
1964年、南モンゴル、オルドス高原生まれ。89年日本に留学。文化人類学の研究に勤しむ。『墓標なき草原』で司馬遼太郎賞、『チベットに舞う日本刀』で国基研・日本研究賞受賞。著書多数。現在、静岡大学教授。

中国《ちゅうごく》の暴虐《ぼうぎゃく》

2021年5月31日　初版発行
2021年7月4日　第5刷

著　者　櫻井よしこ・楊逸・楊海英

発行者　鈴木 隆一

発行所　ワック株式会社
東京都千代田区五番町4-5　五番町コスモビル　〒102-0076
電話　03-5226-7622
http://web-wac.co.jp/

印刷製本　大日本印刷株式会社

ISBN978-4-89831-951-2

好評既刊

命がけの証言

清水ともみ＋楊海英

勇気あるウイグル人の証言をもとに、中共政権による「ジェノサイド」「強制収容所」等の実態をマンガで再現。楊海英氏との告発対談も収録。

単行本（ソフトカバー）定価1320円（10％税込）

それでも習近平が中国経済を崩壊させる

朝香豊　B-334

中国経済復活？　実は負債は制御不可で1京円を超えた！　外貨は激減し、失業率は20％以上。経済統計はフェイクのオンパレードなのだ！

ワックBUNKO　定価990円（10％税込）

齋藤孝 もう恥をかかないための日本語講座

齋藤孝　B-339

日本初！　クイズ形式で教養がサクサク身につく。例えば、「愛想を振りまく」は正しい日本語？　振りまくのは「愛嬌」です。齋藤先生から読者への「千本ノック」。

ワックBUNKO　定価990円（10％税込）